Journal d'une Princesse 8

Une Princesse dans la tourmente

Meg Cabot

Journal d'une Princesse 8

Une Princesse dans la tourmente

Traduit de l'anglais (États-Unis)
par Josette Chicheportiche

Je remercie Beth Ader, Jennifer Brown, Barbara Cabot, Sarah Davies, John Henry Dreyfuss, Michèle Jaffe, Laura Langlie, Amanda Maciel, Abigail McAden et surtout Benjamin Egnatz.

L'édition originale de cet ouvrage
a paru en langue anglaise
chez HarperCollins Children's Books USA
sous le titre :
The Princess diaries, volume VIII : Princess on the brink

Extraits tirés de l'édition originale PERFECT PRINCESS initialement
parue en langue anglaise.

Traduction des extraits : Blandine Mécheri

Illustrations des extraits : Chesley McLaren

Pour Abby

« Je suppose que vous considérez que vous voilà redevenue une Princesse !
– J'ai... j'ai essayé d'en être toujours une, répondit-elle à voix basse. Même quand j'avais le plus froid et le plus faim, j'ai essayé d'en être une. »

Petite Princesse,
Frances Hodgson Burnett.

MOI, UNE PRINCESSE ? À D'AUTRES !
Scénario écrit par
Mia Thermopolis
(première mouture)

Scène 12

INT/JOUR

Le Palm Court – le salon de thé du Plaza Hôtel – à New York. Une adolescente plate comme une limande, aux cheveux ni bouclés ni raides mais formant plutôt un triangle, comme un panneau de la circulation (MIA THERMOPOLIS, quatorze ans), est assise à une table en face d'un homme chauve (son père, le PRINCE PHILIPPE). À l'expression de Mia, on comprend que son père est en train de lui annoncer une terrible nouvelle.

PRINCE PHILIPPE
Tu n'es plus Mia Thermopolis, chérie.

MIA, *en clignant des yeux*
Je ne suis plus Mia Thermopolis ? Qui suis-je alors ?

PRINCE PHILIPPE
Tu es Amelia Mignonette Thermopolis Renaldo, la princesse de Genovia.

Mardi 7 septembre,
pendant le cours sur l'Intro à la création littéraire

Elle plaisante ou quoi ? Décrivez une chambre ? C'est *ça* notre premier sujet d'écriture ? DÉCRIRE UNE CHAMBRE ? Est-ce qu'elle sait depuis combien de temps je décris des chambres dans mes créations littéraires ? J'en ai même décrit dans l'ESPACE intergalactique, comme dans mon texte sur *Battlestar Gallactica* qui raconte les amours de Starbuck et d'Apollo.

Vous savez ce qui me met hors de moi ? Ce qui me met hors de moi, c'est qu'elle m'ait inscrite au cours sur l'Intro à la création littéraire, c'est-à-dire en junior. Je devrais au moins être dans le niveau au-dessus. Vu mes notes l'an dernier – O.K., je reconnais qu'en maths, elles étaient catastrophiques, mais pas en expression écrite –, elle aurait dû me mettre avec les seniors.

Bon d'accord, les notes à un examen ne veulent rien dire en ce qui concerne le talent (à moins de croire que les correcteurs nous lisent), mais ma note en expression écrite prouvait, justement, que je suis capable de décrire une CHAMBRE. Qu'est-ce qu'elle croit ? Je suis passée aux romans et aux scénarios !!!

Car Lilly a raison : la seule façon pour qu'on produise un film réaliste sur ma vie, c'est que j'en écrive le scénario. Elle, elle se chargerait de le tourner. Je sais que ce n'est pas facile de trouver des financiers et tout ça, mais J-P a promis de m'aider. Il connaît des TAS de gens à Hollywood. L'autre jour, ses parents ont reçu le cousin de Steven Spielberg à dîner.

Pourquoi Mrs. Martinez ne comprend-elle pas qu'en me mettant en junior au lieu de senior, elle brise mon élan artistique ? Comment la fleur de ma créativité va-t-elle s'épanouir si je ne peux pas l'arroser ?

Décrivez une chambre. O.K., je vais vous en décrire une, Mrs. Martinez :

Les quatre murs de pierre se pressent étroitement les uns contre les autres, brillants des gouttelettes d'eau qui tombent du plafond. Une faible lumière filtre à travers une minuscule fenêtre à barreaux, placée en hauteur. Le mobilier consiste en un lit de camp sur lequel repose un simple matelas, et un seau, dont le contenu dégage une odeur infecte. Est-ce elle qui attire les rats, tapis dans les coins, leurs museaux roses frémissant ?

Mia, quand je vous ai demandé de décrire une chambre, je pensais à une chambre que vous connaissiez bien. Si je ne doute pas que pareil cachot existe

dans votre palais à Genovia, j'ai du mal à croire que vous y ayez passé beaucoup de temps. Par ailleurs, je sais, grâce à mon adhésion à Amnesty International, que Genovia ne figure pas sur la liste des pays à surveiller en ce qui concerne les mauvais traitements exercés sur les prisonniers, ce qui m'amène à vous poser la question suivante : quand le cachot de votre palais a-t-il servi pour la dernière fois ? Je pense également qu'un homme aussi prévoyant que votre père a dû faire installer depuis longtemps dans son palais un système d'évacuation des vidanges, rendant obsolète l'utilité des seaux pour les excréments humains.

C. MARTINEZ

Mardi 7 septembre, en anglais

`Mia!!!! C'est génial, non? On commence une nouvelle année! Et on est en terminale!!!!! Encore un an ici et à nous l'université!!!!!! Au fait, j'adore ta nouvelle coiffure. Tina`

Tu parles sérieusement ? Pour mes cheveux, je veux dire. On a amené Rocky chez Astor Place Hairstylists hier, ma mère et moi. C'était la première fois qu'il allait chez le coiffeur, et comme il n'arrêtait pas de hurler, j'ai accepté de me faire couper les che-

veux pour lui montrer que ça ne faisait pas mal. Je dois t'avouer que j'étais assez surprise quand le coiffeur m'a annoncé qu'il avait fini !

Non, je te promets, c'est super. Tu ressembles à Audrey Hepburn dans *Vacances romaines* ! Qu'est-ce que Michael a dit ?

Je ne l'ai pas encore vu depuis mon retour de Genovia. J'ai rendez-vous avec lui ce soir aux Baguettes d'Or. Je compte les heures, tu t'en doutes bien !!! Il m'a dit qu'il avait quelque chose de TRÈS IMPORTANT à m'annoncer et qu'il ne pouvait pas m'en parler au téléphone.

Qu'est-ce que tu crois que c'est ?? Les Baguettes d'Or ? Ce n'est pas vraiment dans son quartier, non ? Il n'est pas encore retourné sur le campus ?

Non, pas encore. À mon avis, il va m'annoncer qu'il n'y retourne pas cette année. Qui sait ? Peut-être va-t-il avoir son propre appartement.

Tu crois ??? Tu imagines ? Plus de Doo Pak qui débarque sans prévenir ! Et puis, s'il a sa propre cuisine, ça veut dire des dîners en tête à tête !!!!!

On verra. En même temps, il avait l'air assez vague au téléphone.

Il ferait mieux d'avoir son appartement ! C'est vrai ! À quoi il pense ? Que vous allez

vous retrouver éternellement chez ses parents, en présence de Lilly... Sans parler de sa MÈRE???

Ha, ha. En même temps, la mère de Michael ne se rendrait compte de rien. Elle passe la majeure partie de son temps dans l'appartement de son mari.

Les Drs. Moscovitz se sont réconciliés???

J'espère. Michael dit qu'ils ressortent ensemble!!!

Ils feraient mieux de revivre sous le même toit, histoire d'économiser un loyer. Qu'est-ce que je suis contente que mes parents s'ignorent, comme n'importe quel couple normal.

Tu as bien raison. Au fait, en parlant de cheveux, qu'est-ce que tu penses des mèches de Lilly?

Il paraît que J-P préfère les blondes. Je ne sais pas. Jamais je n'aurais pensé que LILLY était le genre de fille à toucher à son physique pour plaire à un garçon. J-P doit être un super coup!

Tina! Ils ne l'ont même pas fait!

Ah bon, je croyais.

Qu'est-ce qui te fait dire ça?

Eh bien, elle l'a invité à la campagne, ce week-end, non?

Seulement parce que les parents de J-P étaient absents. Mais s'ils l'avaient fait, elle nous l'aurait dit. Tu ne crois pas ?

`Elle te l'aurait peut-être dit à toi, mais pas à moi… Lilly pense que je suis une fille coincée qui ne sort jamais des jupes de sa mère.`

Ce n'est pas vrai !

`Bien sûr que si, mais ça ne me gêne pas. Je SUIS une fille coincée qui ne sort jamais des jupes de ma mère. De toute façon, je ne tiens même pas à LE voir. Alors, le toucher ? Tu imagines ? Je préférerais mourir. Tu crois que Lilly a touché celui de J-P ?`

Certainement pas ! Et puis, elle me l'aurait dit. Je ne l'ai pas revue depuis la rentrée, mais quand même. Elle me l'aurait dit si… tu vois à quoi je pense. Enfin, je *crois* qu'elle me l'aurait dit…

`Elle a touché celui de Boris.`

QUOI ??? POURQUOI TU ME RACONTES ÇA ? C'EST DÉGOÛTANT !

`Moi aussi, j'aurais préféré ne pas le savoir ! C'est Boris qui me l'a dit !`

MAIS POURQUOI IL T'A RACONTÉ ÇA ?

`À cause du livre que ma tante m'a offert. Tu sais,` *`Ton petit capital`*`.`

Ah oui, comme quoi la virginité est un capital que tu dois préserver pour la personne avec qui tu veux te marier, car tu ne peux l'offrir qu'une fois et qu'il ne vaut mieux pas le gâcher avec quelqu'un que tu n'aimes pas vraiment.

Exactement. Sauf que le livre ne dit pas ce que tu es censée faire si, après t'être marié, tu découvres que ton mari ou ta femme est homosexuel. C'est vrai que si l'on n'attend pas, c'est le genre de choses qu'on peut savoir avant de se lancer dans les frais d'un mariage, mais bon. Boris a vu le livre dans ma bibliothèque et il avait peur que je prenne mal le fait que Lilly l'ait touché avant moi. Même s'il est toujours… vierge. Après tout, elle n'a fait que le toucher.

Elle l'a touché PAR-DESSUS son pantalon ou PAR-DESSOUS…

Par-dessous…

Je suis désolée, Tina. Je sais que Boris est ton petit ami, mais je crois que je vais aller vomir.

Je te comprends, mais regardons les choses en face, Mia. Toi et moi, on va finir par être les deux dernières pucelles d'Albert-Einstein.

On dirait le titre d'un livre.

Que tu pourrais écrire en plus!!!! *Les Deux Dernières Pucelles.*

Deux filles chaperonnées par leurs gardes du corps payés par leurs pères pour protéger leur petit capital!

Aucun homme ne les connaîtrait avant… le soir du bal clôturant la fin de leurs études secondaires!!!!

Attention, la prof nous regarde. Tu sais de quoi elle parle?

Qu'est-ce qu'on en a à faire? Ce qu'on se raconte est bien plus intéressant.

Tu as raison, après tout. Alors, tu crois qu'elle a touché celui de J-P, aussi?

S'ils l'ont fait, oui!!!

Non, ce n'est pas possible. Elle me l'aurait dit. Tu ne crois pas qu'elle me l'aurait dit?

Peut-être. Tu la connais depuis la maternelle, tu es mieux placée que moi pour le savoir. En même temps, elle est BLONDE maintenant.

Hé! Je suis blonde, moi aussi. Et je ne me suis toujours pas séparée de mon petit capital.

Pardon, j'avais oublié.

Mardi 7 septembre, pendant le cours de français

Comment Tina peut-elle penser que Lilly et J-P l'ont fait cet été ? Je n'arrive pas à y croire. C'est ridicule. Lilly me l'aurait DIT si elle avait offert son petit capital à J-P.

Non ?

En plus, J-P n'a même pas dit à Lilly qu'il l'aimait d'AMOUR. Est-ce que Lilly coucherait avec un garçon qui ne lui a pas avoué sa flamme ? Elle, elle lui a dit des milliards de fois qu'elle l'aimait, et tout ce qu'il a trouvé à répondre, c'est *Merci*. Ou *Je sais*.

D'après Lilly, c'est sa façon de rendre hommage à Han Solo.

Personnellement, je trouve que J-P n'est pas très clair. C'est vrai, quoi. Lilly et lui sortent ensemble depuis six mois et il ne la présente même pas comme sa petite amie. Quand il parle d'elle, il dit Moscovitz.

Michael aussi m'appelait par mon nom de famille. Mais c'était AVANT qu'on sorte ensemble.

Encore une fois, est-ce que Lilly coucherait avec un garçon qui l'appelle Moscovitz et la présente à ses copains en disant « une amie » et non « ma petite amie » ?

Non, ce n'est pas possible. Elle ne peut pas l'avoir fait.

Même si elle est blonde maintenant. Elle m'a raconté qu'elle s'était fait teindre les cheveux parce que l'un des producteurs qui a mis une option sur *Lilly ne mâche pas ses mots* lui a expliqué que si elle avait les cheveux blonds, son visage paraîtrait moins irrégulier.

En même temps, ce n'est un secret pour personne que J-P aime les blondes. Keira Knightley est *la* fille de ses rêves, et J-P est le seul garçon à ma connaissance à avoir vu *Orgueil et Préjugés* aussi souvent que Tina, Lilly et moi. Au début, je pensais que ce qu'il appréciait, c'était l'adaptation du roman à l'écran, mais il m'a avoué que c'était parce qu'il admirait une certaine jeune fille mince, élancée et blonde (ce qui est curieux car Keira n'est même pas blonde dans le film).

Pauvre Lilly. Elle peut perdre tous les kilos qu'elle veut et se teindre en blonde, elle ne sera jamais ÉLANCÉE. Du moins, elle ne fera jamais 1,70 m comme Keira.

Au fait, je me demande si c'est de ça dont veut me parler Michael ce soir… qu'il sait au sujet de Lilly et de J-P !

J'espère pas. Parce que si Lilly l'a fait et si elle l'a dit à Michael, je ne saurai jamais le fin mot de l'histoire.

Au secours ! Mlle Klein nous demande d'écrire un texte de 200 mots. Voici le sujet : *Raconter une soirée palpitante avec des amis.*

Par une palpitante soirée, mes amis et moi-même, nous nous sommes installés devant la télévision. Les choix nous ont paru illimités. Avec le câble, n'importe quel programme est possible. Et qu'avons-nous regardé ? La chaîne de l'information ? La chaîne du sport ? Celle des clips vidéo ? Non ! La chaîne 12, la chaîne de la religion !

Ce qui me fait 58 mots. C'est-à-dire encore 142 à écrire.

J'ai croisé Lana dans le couloir tout à l'heure. Elle n'a pas changé d'un iota au cours de l'été, si ce n'est qu'elle a l'air encore plus garce qu'avant. Elle s'est trouvé par ailleurs une Lana 2, qui lui ressemble comme deux gouttes d'eau mais en plus jeune et moins grande.

Bref, alors que je passais devant elle, elle m'a jeté un coup d'œil, a fait signe à son clone et a commencé à rire.

« Regarde ! Voilà Peter Pan ! » a-t-elle lancé bien fort pour que tout le monde l'entende.

C'est rassurant de savoir que, quoi qu'ait fait Lana cet été, elle a réussi à garder le charme et l'intelli-

gence pour lesquels elle est si connue à Albert-Einstein.

Est-ce que je ressemble vraiment à Peter Pan avec ma nouvelle coupe de cheveux ?

Mardi 7 septembre, à la cafétéria

J'ai coincé Lilly pendant qu'elle faisait la queue et je lui ai demandé si J-P et elle l'avaient fait au cours de l'été.

Vous savez ce qu'elle m'a répondu ? Elle m'a répondu : « Est-ce que tu penses vraiment que je le dirais à la plus grande pipelette qui soit si je l'avais fait ? »

Je dois admettre que ça m'a blessée. Je n'ai jamais répété le moindre secret qu'elle m'a confié. Par exemple, est-ce que j'ai raconté qu'elle avait pris un jour en douce l'exemplaire d'*Une femme épanouie* dans la chambre de sa mère et qu'elle l'avait apporté à l'école et nous en avait lu des passages – en particulier des passages très cochons – dans la cour de récré ?

Et la fois où elle avait dit à Norman, le psychopathe qui la suivait tout le temps, que s'il lui obtenait des billets pour aller voir *Avenue Q* à Broadway, elle lui donnerait ses sandales de chez Steve Madden. Sauf que quand Norman lui a offert les billets de

théâtre, elle ne lui a rien donné du tout simplement parce qu'elle n'a pas de sandales de chez Steve Madden.

Et je n'ai jamais raconté à personne non plus la fois où elle a lancé ma poupée Strawberry Shortcake sur le toit de la maison de campagne de ses parents et que je ne l'ai retrouvée que l'été suivant quand Michael nettoyait les gouttières et qu'il l'a lancée dans le jardin. Ma pauvre poupée, quand j'y pense. Des écureuils avaient grignoté ses yeux, ses cheveux étaient couverts de moisi et elle avait la tête toute fondue à cause du soleil. Eh bien, je n'ai rien dit à personne. Pourtant, je l'adorais cette poupée.

Bref, comme je ne voulais pas que Lilly remarque que sa réponse m'avait blessée, je me suis contentée de hausser les épaules en disant :

« Comme tu veux. En tout cas, je sais que tu as touché le tu-sais-quoi de Boris. C'est Tina qui me l'a dit. »

Mais Lilly, au lieu de paraître offusquée, comme n'importe qui l'aurait été en entendant ça, a levé les yeux au ciel en s'exclamant :

« Ma pauvre ! Qu'est-ce que tu peux être gamine !

— Franchement, Lilly ! me suis-je exclamée à mon tour, mais d'une voix malheureusement tremblante. Je n'arrive pas à croire que tu ne me l'aies pas dit.

— Je ne te l'ai pas dit tout simplement parce que ce n'était pas important, a-t-elle rétorqué.

— Pas important ? ai-je répété. Tu as TOUCHÉ le truc d'un garçon.

— Est-on obligé d'avoir cette conversation au beau milieu du réfectoire ? m'a alors demandé Lilly.

— Et où veux-tu qu'on l'ait ? À table, devant ton PETIT AMI ?

— O.K., a fait Lilly. Je l'ai touché. Qu'est-ce que tu veux savoir ? »

J'avais du mal à croire qu'on parle de ça devant les yaourts et les fromages. Mais à qui la faute ? Lilly n'avait qu'à m'en parler un soir où elle était venue dormir chez moi ou moi chez elle, comme n'importe quelle fille l'aurait fait. Oh, mais non ! Pas Lilly. Lilly ne parle pas de ça. Il a fallu que Boris crache le morceau.

Le problème, c'est que même si c'était super gênant, j'avais envie de savoir.

Je sais. Ça craint, mais c'est comme ça.

J'ai regardé autour de moi, histoire de vérifier que personne ne pouvait m'entendre et j'ai demandé :

« Eh bien... pour commencer, à quoi ça ressemble ? »

Lilly a haussé les épaules et a répondu :

« À de la peau.

— C'est tout ? me suis-je exclamée. Juste de la... *peau* ?

— C'est ce que c'est, après tout, a répondu Lilly. À quoi veux-tu que ça ressemble d'autre ?

— Je ne sais pas », ai-je fait.

Ce n'est pas évident de savoir ce genre de choses à travers un jeans. Surtout un jeans à boutons.

« Dans les romans d'amour de Tina, ai-je repris, ils disent toujours que ça évoque du satin en fusion sur une tige d'acier tendue par le désir. »

Lilly a réfléchi, puis elle a haussé les épaules et a dit :

« Oui, ça ressemble un peu à ça aussi.

— O.K., ai-je fait. Je crois que cette fois, c'est bon : je vais vraiment aller vomir.

— Eh bien, évite de le faire dans mon guacamole, m'a-t-elle prévenue. Je peux continuer à avancer et à choisir la fin de mon repas ? a-t-elle ajouté.

— Attends, j'ai encore une question. De quoi veut me parler ton frère ce soir ? ai-je demandé. J'ai rendez-vous avec lui aux Baguettes d'Or.

— Il veut sans doute te demander de toucher le sien », a répondu Lilly.

Lorsque j'ai attrapé la cuillère du fromage blanc et que je l'ai visée avec, Lilly a poussé un cri puis a lancé en riant :

« Je plaisante ! Je n'en sais rien, Mia. On s'est à peine vus, cet été, Michael et moi. Il était super occupé avec son projet de robotique. »

J'ai reposé la cuillère. Je savais que Lilly disait vrai.

Michael s'était passionné pour son cours de technologie de pointe appliquée à la théorie du contrôle, lequel cours, m'avait-il expliqué quand je lui avais demandé ce qu'une telle appellation pouvait signifier, parlait de robots. Et, pour son projet de fin d'année, il avait construit un bras-robot qui permettait d'opérer le cœur sans ouvrir la poitrine, « le *nec plus ultra* dans le domaine de la chirurgie cardiaque », avait-il précisé.

Eh oui. Mon petit copain construit des robots. C'est TELLEMENT GÉNIAL !

Quand on s'est installées à la table, avec les autres, Lilly et moi, j'avoue que j'avais du mal à regarder Boris – même s'il est un peu plus mignon depuis qu'il n'a plus de bagues, qu'il va chez le dermatologue et s'est fait opérer de sa myopie.

Mais bon. Tout ce que je voyais, quand je levais les yeux vers lui, c'était la main de Lilly dans son pantalon. Juste sous son sweat-shirt.

« Mia ! s'est exclamée Ling Su quand je me suis assise. Qu'est-ce qui est arrivé à tes cheveux ? »

Vous savez quoi ? Ce n'est pas, mais alors pas du tout, le genre de réflexion qu'on aime entendre quand on sort de chez le coiffeur.

« Astor Place Hairstylists, ai-je répondu. Pourquoi ? Tu n'aimes pas ?

— Si, si, j'adore ! » s'est-elle empressée de dire.

Mais j'ai bien remarqué le coup d'œil qu'elle échangeait avec Yan qui, soit dit en passant, a les cheveux encore plus courts que moi. Et je les ai *plutôt* courts.

« Moi, je trouve que Mia est super comme ça », est intervenu J-P, depuis l'autre extrémité de la table, où il était assis en face de Lilly.

Avec ses cheveux blonds ébouriffés striés de mèches plus claires à cause du soleil – les parents de J-P ont une maison à Martha's Vineyard, une des îles au large de cap Cod, où il a passé une grande partie de l'été à surfer sur les vagues –, son bronzage et ses biceps, il était lui aussi bien plus mignon que l'an dernier.

Attention ! Je ne suis pas en train de dire que J-P me plaît ! En plus, j'ai déjà un petit ami, qui a des bras musclés aussi. Bon d'accord, côté bronzage, je ne suis pas sûre qu'il le soit vu qu'il a passé son été à travailler à son robot. Mais ça n'empêche qu'il est plus sexy que J-P.

Qui est, de toute façon, le petit ami de Lilly.

Et peut-être même plus…

« Très gaminesque, a ajouté J-P en hochant la tête.

— Je sais ce que ça veut dire ! s'est écriée Tina. Gaminesque, parce que tu trouves que Mia est coiffée comme Audrey Hepburn dans *Vacances romaines*.

— Je pensais plus à Keira Knightley dans *Domino*, a-t-il corrigé, mais ça marche aussi. »

C'est tellement agréable d'avoir des amis qui vous soutiennent.

Enfin, pas tous.

Quand je pense que Lilly refuse de me dire si elle l'a fait ou pas avec J-P. En tout cas, s'ils l'ont fait, ça ne se voit pas. C'est vrai, quoi. On aurait pu croire que s'ils s'étaient réciproquement offert leur petit capital, ils se seraient fait du pied sous la table, par exemple. Eh bien, non. Le seul geste un peu intime que J-P a eu à l'égard de Lilly, c'est la laisser goûter à sa glace. Moi aussi, je l'ai laissée goûter à la mienne, et plusieurs fois même. Ce qui ne signifie pas que je lui ai donné mon petit capital.

Mardi 7 septembre, en étude dirigée

Ce n'est vraiment pas juste. En plus d'être en junior pour le cours de création littéraire, j'ai un

emploi du temps qui craint. Regardez-le, vous verrez bien :

8 h-9 h : Permanence
9 h-10 h : Intro à la création littéraire
10 h-11 h : Anglais
11 h-12 h : Français
Pause déjeuner
13 h-14 h : Étude dirigée
14 h-15 h : EPS
15 h-16 h : Chimie
16 h-17 h : Maths (calcul différentiel)

EPS, CHIMIE, puis MATHS ? Est-ce que cela aurait été trop demandé d'avoir UN COURS SYMPA l'après-midi ? UN COURS QU'ON A ENVIE DE SUIVRE ?

Apparemment non. Il faut que ça craigne de 14 heures à 17 heures.

Je vous le dis tout net : ce n'est pas juste.

Mais ce n'est pas tout ! J'ai appris aussi que je faisais partie des élèves inscrits en soutien en algèbre : de qui se moque-t-on ?

Cela dit, étant donné mes piètres résultats dans cette matière, j'ai peut-être intérêt à demander à mon père de me dispenser des cours de princesse cette

année pour les remplacer par des cours particuliers en calcul différentiel ?

MICHAEL POURRAIT ÊTRE MON PROF PARTICULIER !!!!!!

Hé, mais oui ! Pourquoi pas ?? Il m'a déjà donné des cours en géométrie, et j'ai eu la moyenne. Pourquoi papa ne pourrait-il pas le payer cette année pour qu'il me fasse travailler ? Il pourrait peut-être même m'aider en chimie. J'ai entendu dire que le programme n'était pas évident.

Oh, non. Lilly remet ça avec les élections des délégués de classe. Elle dit qu'elle va reproposer mon nom.

Sérieux. Elle a déjà tout prévu : le discours, les tracts. Il ne me reste plus qu'à me présenter.

Sauf qu'elle oublie que je n'ai pas eu une minute à moi l'an dernier ! Et si je veux vraiment devenir écrivain – ou scénariste –, IL FAUT BIEN QUE J'AIE DU TEMPS POUR ÉCRIRE. Pour écrire autre chose que mon journal.

Et puis, il y a Michael. On s'est à peine vus l'année dernière tellement on avait des emplois du temps chargés l'un et l'autre.

Bref, si je veux pouvoir faire ce que j'ai envie de faire – écrire et voir Michael –, je vais devoir renoncer à quelque chose cette année.

Et je crois bien que ça va être à la présidence des délégués de classe du lycée.

Pourquoi Lilly ne se présente-t-elle pas ? Je sais, elle est persuadée que personne ne l'aime, mais c'est faux. Je suis sûre que tout le monde a oublié sa proposition de prolonger les cours d'une heure l'après-midi pour qu'on puisse faire du latin.

Comment lui annoncer que je ne veux pas recommencer cette année ? Surtout après qu'elle a commandé soixante-quinze tee-shirts avec écrit dessus : *VOTEZ POUR MIA* et envisage de louer le toit du lycée à des opérateurs de téléphonie mobile et d'utiliser les bénéfices ainsi gagnés pour acheter des ordinateurs portables que les élèves boursiers du lycée pourraient utiliser.

Pas facile d'avoir un comportement responsable.

Mardi 7 septembre, en chimie

Kenny Showalter est avec moi en chimie. Est-ce que, un jour dans ma vie, je pourrais suivre un cours de science dans ce lycée sans être avec Kenny Showalter ?

Apparemment, non.

J'ai l'impression qu'il a ENCORE grandi pendant l'été. Il est aussi grand que Lars. Mais malheureusement pour lui, il ne fait pas le même poids. Je me

demande même si Kenny n'est pas plus maigre que moi.

Il vient de s'asseoir à ma table. Va-t-il me proposer de partager sa paillasse cette année aussi ? Ce qui ne serait pas la pire chose qui puisse m'arriver vu que je n'aurais jamais eu la moyenne l'an dernier si je n'avais pas fait équipe avec lui.

Hé ! J-P vient d'arriver ! Il a chimie avec nous !

Enfin une bonne nouvelle ! Avec J-P, j'ai au moins UNE personne normale à qui parler. Attention, je ne suis pas en train de dire que Kenny craint, mais bon... Il y a toujours un peu de TENSION entre nous depuis qu'il m'a quittée parce qu'il pensait que j'étais amoureuse de Boris Pelkowski. C'était il y a tellement longtemps ! On aurait pu croire que c'était de l'histoire ancienne, mais non, c'est toujours un peu tendu entre Kenny et moi, surtout quand il me fait mes devoirs.

J'ai appelé J-P pour qu'il s'assoie avec nous. Du coup, je me retrouve entre Kenny et lui. Comme je suis contente que Lilly sorte avec J-P ! J-P est vraiment super. Je dois dire que jusqu'à présent, je ne faisais pas trop confiance à Lilly en ce qui concerne les garçons. C'est vrai, quoi. Jangbu ou Franco n'étaient pas exactement...

Oh, oh. Kenny vient de me passer un message.

Mia, je ne savais pas que tu faisais chimie, cette année. Tu veux qu'on se mette ensemble ? Pourquoi changerait-on une équipe qui gagne, hein ?

POURQUOI KENNY ME PROPOSE-T-IL DE PARTAGER SA PAILLASSE ????

D'accord, j'ai une plus jolie écriture que lui, mais à part ça, je ne vois pas quel avantage ça lui apporte. À tous les coups, il ne connaît pas ma note en maths à l'examen du mois de juin. En revanche, il SAIT que je suis archinulle en science. Je ne peux que lui faire baisser sa moyenne.

Oh, oh. C'est au tour de J-P de me passer un petit mot.

Hé, Mia, je ne savais pas que tu avais chimie avec Hipskin ce trimestre ! Il paraît que c'est un bon prof. Ça te dit de partager ma paillasse ? J'imagine que Showalter vient de te proposer la même chose. Envoie-le promener, il va te coller toute l'année avec ses déclarations d'amouuuuuur. Je suis celui qu'il te faut.

J'avoue que c'est assez bien vu, mais qu'est-ce que je fais ? J'ADORERAIS faire équipe avec J-P. Il est sympa, drôle, n'a que des A – sauf en anglais. Il avait Mrs. Martinez lui aussi l'an dernier, mais à une autre heure, et il a eu B, comme moi, ce qui nous a

fait dire qu'elle n'aimait pas notre style –, mais Kenny m'a demandé d'abord. Et j'ai toujours partagé ma paillasse avec Kenny. C'est vrai, il a raison, on ne change pas une équipe qui gagne.

POURQUOI FAUT-IL QUE CE GENRE DE CHOSES M'ARRIVE À MOI ???

J'ai une idée ! Je ne suis pas des cours de diplomatie depuis DEUX ANS pour rien !

Et si on partageait la paillasse à trois ? Qu'en penses-tu ? Mia

Voici la réponse de Kenny :

Génial ! Au fait, j'adore ta nouvelle coiffure. Tu ressembles à Anakin Skywalker dans *La Menace fantôme*. Tu sais, quand il fait la course de vaisseaux.

Super. Je ressemble à un garçon de neuf ans.

Et voici celle de J-P :

Bien joué, sauterelle. Je vois que les cours de ton *sensei* t'ont été profitables.

Sensei ! C'est la première fois que quelqu'un compare ma Grand-Mère à une *sensei*.

Tu penses qu'elle n'apprécierait pas ?

Tu plaisantes ? Je l'imagine même très bien en kimono, avec un bâton à la main, en train de me

dire : « Certaines leçons ne peuvent être enseignées, Amelia. Elles doivent être vécues pour être comprises. »

Bref, à la Terence Stamp dans *Elektra*. Pas mal. Sauf que ça s'appelle un *gi*.

C'est quoi ?

L'uniforme de karaté. Tu ne t'y connais pas en arts martiaux ?

Désolée. J'ai seulement appris à servir le thé.

Dans ce cas, tu es parée pour la vie.

Ha ! ha ! J'aime bien échanger des messages avec J-P. C'est comme avec une fille, sauf que c'est mieux, parce que J-P est un garçon. Mais il n'y a aucune tension sexuelle entre nous, puisque je sais que J-P aime Lilly.

Finalement, ce n'est pas si mal que ça. Le cours de chimie, je veux dire. Mais sans la chimie, ce serait évidemment mieux.

– matière
– substances pures
– mélanges

éléments composés homogènes hétérogènes
substance pure – composition constante
élément – composé d'un seul atome

composé – 2 éléments ou plus dans une proportion spécifique

mélange – combinaisons de substances pures

Encore six heures avant de voir Michael. Faites que je ne meure pas d'ennui d'ici là.

Mardi 7 septembre, en maths

Différentiation – trouver la dérivée
Dérivée = inclinaison
Dérivée également taux

Intégration

Séries infinies
Séries divergentes
Séries convergentes

Une minute.
O.K.
QUOI ????
Dites-moi qu'ils plaisantent.

Encore cinq heures avant de voir Michael.

Mardi 7 septembre, pendant la réunion d'information

Je n'arrive pas à y croire : il n'y a qu'un seul nom qui a été proposé pour le poste de président du comité des délégués de classe :

Le mien.

Personne d'autre ne s'est présenté.

La principale est super déçue, c'est du moins ce qu'elle nous a dit. Et rien qu'à sa tête, ça se voit.

Moi aussi, je suis déçue. Je le savais que la majorité des élèves d'Albert-Einstein étaient tout sauf engagés. Il suffit de voir avec quelle précipitation ils sont sortis pour acheter le dernier album de Diddy quand ils ont appris qu'il comportait des infos sur le meurtre de Biggie Small provenant de la police de Los Angeles.

Lilly en a presque pleuré. Ce n'est pas vraiment une victoire quand il n'y a pas de compétition. J'ai essayé de lui dire que c'est parce qu'on avait fait un super boulot l'an dernier. Du coup, les gens ont pensé que ce n'était même pas la peine de se présenter : on remporterait évidemment les élections.

Mais Lilly m'a fait remarquer que, pendant la réunion, tout le monde s'envoyait des textos pour savoir ce qu'ils faisaient après. Bref, personne n'écoutait. Pire, il est possible qu'ils ne savaient même pas pourquoi ils se trouvaient là et devaient penser que

c'était une nouvelle fois une réunion sur les dangers de la drogue ou que sais-je encore.

Devoirs

Intro à la création littéraire : décrivez une scène vue de votre fenêtre

Anglais : lire *Franny et Zooey*

Français : finir de décrire une *palpitante soirée avec des amis*

Étude dirigée : préparer un résumé pour Mrs. Hill sur ce qu'on aimerait accomplir en étude dirigée cette année

EPS : laver short de gym

Chimie : demander à Kenny/J-P

Maths : franchement, je vous le demande : ce cours, c'est un gag, non ?

MOI, UNE PRINCESSE ? À D'AUTRES !
Scénario écrit par
Mia Thermopolis
(première mouture)

Scène 13

INT/JOUR

Le Palm Court, au Plaza Hôtel, à New York. Gros plan sur le visage de MIA tandis qu'elle mesure la portée des paroles de son père, le PRINCE PHILIPPE.

MIA, *en s'efforçant de ne pas pleurer*
Je refuse de vivre à Genovia.

PRINCE PHILIPPE, *de sa voix voyons-soyons-raisonnable*
Mais, Mia, je croyais que tu avais compris.

MIA
Tout ce que j'ai compris, c'est que tu m'as menti
pendant toute ma vie. Pourquoi irais-je vivre
avec toi ?

MIA se lève brusquement en renversant sa chaise et sort précipitamment du salon de thé, bousculant

au passage le portier, qui lève les yeux aux ciel d'un air écœuré.

Mardi 7 septembre, depuis l'hôtel W

Les travaux pour transformer le Plaza en appartements de grand standing ont démarré et Grand-Mère a déjà acheté celui qui se trouvera au dernier étage, avec la terrasse. Mais comme elle ne peut pas vivre au milieu de la poussière à cause de ses sinus, sans parler du bruit que font les ouvriers – ils arrivent sur le chantier à 7 h 30 –, elle s'est installée à l'hôtel W en attendant.

Et apparemment, elle n'est pas très contente.

« C'est absolument, absolument..., a-t-elle commencé tout en faisant le tour de sa suite à laquelle je n'ai personnellement rien à redire (bon d'accord, la déco est plus moderne que « frou-frou », c'est-à-dire qu'il y a plus de rayures et de cuir que de fleurs et de dentelles, mais la vue sur Manhattan est superbe et il y a de magnifiques boiseries)... inacceptable », a-t-elle terminé.

Elle s'adressait à un homme en costume qui portait sur le revers de sa veste un badge doré sur lequel on pouvait lire : *ROBERT.*

Robert donnait l'impression d'avoir envie de se jeter par la fenêtre. Le pauvre. Je sais comment est

Grand-Mère quand elle est sur le point de piquer une crise. Et celle qui couvait s'annonçait énorme.

« Des pâquerettes ? s'est exclamée Grand-Mère d'une voix glaciale. Est-ce que votre personnel pense véritablement que des *pâquerettes* sont les fleurs appropriées à la décoration de la suite de la princesse douairière de Genovia ?

— Je suis désolée, madame », a fait Robert.

Il a alors jeté un coup d'œil dans ma direction au moment où, à moitié affalée sur le canapé blanc, je découvrais un bouton qui, quand on appuyait dessus, faisait apparaître – oui, comme ce que rêve d'avoir Joey dans *Friends* – une télévision à écran plat.

De toute évidence, Robert semblait chercher de l'aide.

Mais il n'était pas question que je me mêle de cette affaire. Du coup, j'ai ouvert mon journal à la page de mon scénario et je me suis mise à écrire. J-P m'a dit que quand j'aurai fini, il le montrera à un producteur qu'il connaît et qui pourrait être très intéressé. Oui, oui, *très intéressé*. Conclusion : mon histoire est quasiment vendue.

« Nous mettons toujours des bouquets de pâquerettes dans nos chambres, a expliqué Robert en voyant que je ne lui étais d'aucun secours. Aucun de nos clients ne s'est jamais plaint. »

Grand-Mère l'a regardé comme s'il venait de lui annoncer que personne n'avait jamais brandi un couteau et commis hara-kiri devant lui.

« Une PRINCESSE est-elle déjà descendue dans votre hôtel ? a-t-elle demandé.

— Eh bien, justement, la princesse de Thaïlande se trouvait ici la semaine dernière avant de prendre ses quartiers sur le campus de New York University », a déclaré Robert.

J'ai grimacé. Mauvaise réponse, Robert ! Dommage. Merci de votre participation.

« DE THAÏLANDE ! a répété Grand-Mère. Savez-vous COMBIEN IL Y A DE PRINCESSES EN THAÏLANDE ? »

Robert a eu l'air affolé. Il venait de comprendre qu'il avait commis une erreur. Mais il ne savait pas encore quelles en seraient les conséquences. Pauvre homme.

« Euh... non..., a-t-il fait.

— Des dizaines ! Peut-être même des centaines ! a hurlé Grand-Mère. Et savez-vous combien il y a de princesse douairière à Genovia ?

— Euh... une ? a-t-il murmuré.

— Oui, c'est exact. Une, a confirmé Grand-Mère. Aussi, ne pensez-vous pas que si LA PRINCESSE DOUAIRIÈRE DE GENOVIA souhaite des roses dans sa chambre – des blanches et des roses – et

non des pâquerettes orange –, VOUS POUVEZ FAIRE EN SORTE DE LA SATISFAIRE ? Surtout quand il se trouve que son chien est allergique aux *fleurs des champs* ? »

On s'est tournés vers Rommel, Robert et moi. Loin de donner l'impression d'être en train de souffrir d'une allergie, il dormait dans son petit lit aux montants dorés, s'agitant de temps en temps dans son sommeil sous le coup des rêves qui peuplent l'esprit des chiens – dans le cas de Rommel, sans doute comment échapper à sa maîtresse.

« Comme si, a ajouté Grand-Mère, ça ne suffisait pas que vous fassiez pousser de l'HERBE dans le hall de l'hôtel. »

Ouille. Je l'avais remarqué moi aussi à mon arrivée. C'est un peu trop *moderne* pour Grand-Mère. De faire pousser de l'herbe, je veux dire. Elle, elle préfère des bonbons à la menthe dans des vases en cristal.

« Je comprends, madame, a repris Robert en s'inclinant légèrement. Je vais immédiatement vous faire livrer des roses, blanches et roses. Je ne m'excuserais jamais assez de cette négligence…

— Non, l'a coupé Grand-Mère. Vous ne vous excuserez jamais assez. Au revoir. »

Robert a avalé avec difficulté sa salive, s'est retourné puis est sorti sans demander son reste.

Grand-Mère a attendu qu'il disparaisse pour s'affaler dans l'un des fauteuils en cuir et acier chromé en face de moi. Sauf que ce n'est pas vraiment le genre de fauteuil dans lequel on s'affale.

« Mais où suis-je tombée ! s'est-elle écriée en se redressant brusquement.

— Moi, j'aime bien, ai-je fait. Oui, je trouve que le W est plutôt cool. Tout est brillant et reluisant.

— N'importe quoi ! a lâché Grand-Mère. Sais-tu que lorsque j'ai commandé un Sidecar, ils me l'ont servi dans une TIMBALE ?

— Et alors ? Ça en fait plus à boire, ai-je répondu.

— Les Sidecars ne se servent PAS dans des timbales, Amelia. L'eau, oui, mais les Sidecars, non. Comme tous les cocktails, on les sert dans des VERRES À COCKTAIL ! MON DIEU ! a-t-elle ajouté, QU'EST-IL ARRIVÉ À TES CHEVEUX ?? »

Grand-Mère se tenait alors très droite dans son fauteuil en cuir et acier chromé.

« Calme-toi, ai-je commencé. C'est un peu court, je te l'accorde…

— UN PEU COURT ? m'a-t-elle interrompue. Tu ressembles à un coton tige !

— Ça repoussera », ai-je dit sans conviction.

En vérité, je n'ai pas l'intention de me faire repousser les cheveux. J'aime bien les avoir courts parce qu'on n'a pas besoin de s'en occuper, et quand

on se regarde dans le miroir, on a toujours la même tête. Je ne sais pas, ça a quelque chose de rassurant. C'est vrai, quoi, c'est PÉNIBLE de découvrir de nouvelles mèches qui se dressent n'importe comment sur sa tête quand on aperçoit par hasard son reflet !

« Comment comptes-tu porter ton diadème sans peigne pour le retenir ? » a demandé Grand-Mère.

Ce qui était une bonne question. À laquelle personne chez Astor Place Hairstylists n'avait songé, et surtout pas ma mère qui trouvait qu'avec ma nouvelle coupe, je ressemblais à Demi Moore dans *À armes égales*, ce que j'avais pris alors pour un compliment.

« Du velcro ? » ai-je suggéré d'une petite voix.

Mais Grand-Mère n'a pas trouvé ma plaisanterie très drôle.

« Ce n'est même pas la peine d'appeler Paolo, a-t-elle déclaré. Vu ce qu'il te reste, je ne vois pas très bien ce qu'il pourrait faire.

— Ce n'est pas SI COURT ! » me suis-je exclamée en portant une main à ma tête.

En fait, en tâtant bien, si. Oh, et puis après tout, tant pis.

« Allez, ce n'est pas si grave que ça, ce ne sont que des cheveux, ai-je lancé. Ça repoussera. N'y a-t-il pas des choses plus importantes à combattre dans le monde aujourd'hui, Grand-Mère ? Comme ces juges

fondamentalistes en Iran qui font enterrer des femmes jusqu'au cou dans le sable et appellent ensuite la population à leur jeter des pierres pour la seule et unique raison qu'elles ont commis le crime d'adultère ?

Aujourd'hui, Grand-Mère ! Il se passe des choses aussi graves AUJOURD'HUI, et toi, tu te fais du souci pour mes CHEVEUX ?? »

Grand-Mère s'est contentée de lâcher un soupir. Impossible de la faire réfléchir à autre chose que ce qui concerne les têtes couronnées. Pourquoi ? Parce qu'elle s'en fiche.

« Ce n'était vraiment pas le moment d'aller chez le coiffeur, a-t-elle déclaré. *Vogue* vient de contacter l'attaché de presse du palais pour une interview et une série de photos pour leur numéro de cet hiver. Grâce à cet article, Genovia sera dans l'esprit de toutes les femmes qui cherchent une destination ensoleillée pour passer leurs vacances d'hiver. Ils ont déjà contacté ton père. Tu sais qu'il vient à New York pour l'Assemblée générale des Nations unies.

— Super ! me suis-je exclamée. Papa pourra peut-être soulever la question de l'Iran ! Sais-tu que le gouvernement iranien a interdit la musique occidentale ? Et que quand il raconte qu'il veut développer le nucléaire pour des raisons d'énergie civile et non pour une utilisation militaire, les organisations inter-

nationales pensent qu'il cache en réalité des recherches sur la bombe atomique ? Qu'est-ce qu'on en a à faire alors des vacances d'hiver si on doit sauter du jour au lendemain ?

— À moins que tu ne portes une perruque, a continué Grand-Mère. Mais comment en trouver une identique à ton ancienne coupe ? Ça va être difficile, des perruques en forme de voile de bateau, ça n'existe pas. Et si on te choisissait une perruque longue que Paolo couperait…

— Est-ce que tu m'écoutes, Grand-Mère ? ai-je presque hurlé. Il se passe des choses bien plus importantes en ce moment dans le monde que mes cheveux ! As-tu conscience de la menace que représenterait l'Iran s'il possédait la bombe atomique ? ILS ENTERRENT DES FEMMES DANS LE SABLE JUSQU'AU COU ET LES LAPIDENT POUR AVOIR COUCHÉ AVEC UN AUTRE HOMME QUE LEUR MARI. Comment penses-tu qu'ils agiront à l'égard de ceux qui méritent selon eux d'être rayés de la carte ?

— Et si tu te faisais teindre en rousse, a murmuré Grand-Mère, songeuse. Mmmmm, non, après tout, ça n'irait pas. Avec cette coupe, tu ressembles à ce garçon qui était en couverture des bandes dessinées que ton père lisait quand il avait ton âge. »

Franchement, je vous le demande : à quoi bon essayer de discuter avec elle ? Cela dit, est-ce que je m'attendais vraiment à ce qu'une femme qui a des préjugés si peu fondés contre les pâquerettes m'écoute ?

Parfois, j'ai envie de l'enterrer, ELLE, et jusqu'au cou.

Mardi 7 septembre, 7 heures du soir, à la maison

Michael est là ! Il est venu me chercher pour m'emmener dîner aux Baguettes d'Or. Il est en train de discuter avec maman et Mr. G pendant que je finis de me préparer. Il ne m'a pas encore vue.

Donc il n'a pas vu ma nouvelle coupe.

Je sais, c'est idiot de se faire du souci pour ça. Mes cheveux sont très bien. Maman n'arrête pas de me le dire. Même Mr. G m'a juré que je ne ressemblais ni à Peter Pan ni à Anakin Skywalker.

Mais bon. Et si Michael n'aimait pas ? Dans *Seize ans* ils disent tout le temps que les garçons préfèrent les filles aux cheveux longs. Du moins, les garçons qu'ils interviewent, ceux qui traînent toute la journée devant les centres commerciaux. Ils leur montrent des photos de Keira Knightley avec les cheveux courts et des photos de Keira avec les cheveux longs

et ils leur demandent sur quelles photos ils la préfèrent.

Eh bien, neuf fois sur dix, ils répondent les photos où elle a les cheveux longs. Bien sûr, Michael n'a rien à voir avec ces garçons, mais quand même. Oh, et puis après tout, il n'aura qu'à faire avec.

Et si je rajoutais un peu de gel ?

Je l'entends parler avec Rocky. Même si personne ne comprend un mot de ce que baragouine mon frère. À part camion, gâteau, encore, non et à moi – ce qui représente toute l'étendue de son vocabulaire –, le reste est incompréhensible. Mais il paraît que c'est normal à son âge et que Rocky n'est atteint d'aucun retard mental.

Cela dit, ce n'est pas évident d'avoir une conversation avec lui, même si, personnellement, je trouve ses interventions fascinantes. Mais parce que c'est MON frère.

Oh, comme Michael est patient avec lui ! Ça fait au moins dix fois que Rocky répète le mot « camion » et chaque fois, Michael répond : « Oui, c'est un très joli camion », et d'une voix douce en plus. Je suis sûre qu'il fera un super papa ! Attention, je ne suis pas en train de dire que j'aimerais avoir des enfants tout de suite. Non, je veux finir mes études avant, et travailler pendant quelque temps pour Greenpeace.

Mais en tout cas, ça fait chaud au cœur de se dire que lorsque le moment sera venu, Michael sera à la hauteur.

Je viens d'entrouvrir la porte pour le regarder. Il est siiiiiiiii beau, si grand, si fort! Je crois qu'il s'est rasé avant de venir.

Je n'arrive pas à croire que ça fait UN MOIS qu'on ne s'est pas vus.

Oh, mon dieu! J'ai les cheveux plus courts que lui.

J'AI LES CHEVEUX PLUS COURTS QUE MON PETIT AMI.

Mais qu'est-ce qui m'a pris????

Mardi 7 septembre, dans les cuisines des Baguettes d'Or

O.K.

Je vais essayer de comprendre.

C'est pour ça d'ailleurs que j'ai demandé à Kevin Yang si je pouvais m'installer ici pendant quelques minutes. Parce que j'avais besoin de faire le point, et que les toilettes pour femmes étaient occupées. Apparemment, il y a quelqu'un à l'intérieur qui n'a pas conscience qu'une jeune fille est en train de voir sa vie se briser en mille morceaux.

Je dois me ressaisir et essayer de comprendre ce qui m'arrive.

Sauf que je n'y arrive pas.

Ça n'a rien à voir avec ma coupe de cheveux ! Michael a eu l'air surpris, c'est vrai, mais je ne pense pas qu'elle lui ait déplu. Il m'a dit que j'étais mignonne et que je ressemblais à Natalie Portman une fois qu'elle a laissé repousser ses cheveux après le tournage de *V pour Vendetta*.

Et il m'a serrée dans ses bras et m'a embrassée. Puis, une fois dans le hall de l'immeuble, quand maman et Mr. G ne pouvaient plus nous voir et que Lars était occupé à attacher son étui de revolver, il m'a de nouveau serrée dans ses bras et embrassée. Mais plus passionnément. Du coup, j'ai pu sentir l'odeur de son cou, et je vous le jure, chacune des synapses de mon cerveau a dû dégager une méga dose de sérotonine à cause des phéromones de Michael, parce que je me suis sentie super détendue après.

Et je suis sûre qu'il a éprouvé la même chose.

Bref, on a marché main dans la main jusqu'au restaurant et on a parlé de tout ce qu'on avait fait depuis la dernière fois qu'on s'était vus – Grand-Mère qui avait dû quitter le Plaza, Lilly qui s'était fait teindre en blonde (je ne lui ai pas demandé si à son avis, Lilly et J-P l'avaient fait. J'essaie d'éviter toute discussion

qui pourrait rappeler à Michael qu'ON on ne l'a toujours pas fait et qui pourrait enflammer son désir), Rocky et ses camions, et des parents de Michael qui sont plus ou moins en train de se réconcilier.

À notre arrivée aux Baguettes d'Or, Rosey, l'hôtesse, nous a installés à notre table habituelle, près de la fenêtre, et a invité Lars à s'asseoir au bar avec elle, d'où il pourrait me surveiller et regarder le match de base-ball à la télé en même temps.

On a alors commandé nos plats préférés, des nouilles froides au sésame pour moi, et des travers de porc pour Michael. Avant, on a partagé une soupe, et comme Michael prenait en plus du poulet *kung pao*, j'ai pris une salade de soja.

« Alors, quand retournes-tu sur le campus ? ai-je demandé. La fac a recommencé, non ?

— Justement, je voulais te parler de ça, a répondu Michael. C'est pour cette raison d'ailleurs qu'on est ici, parce que je voulais te l'annoncer moi-même. »

J'ai fait « Ah oui », persuadée qu'il allait me dire qu'il prenait un appartement en ville parce qu'il en avait assez de partager sa chambre avec un autre garçon, ou alors qu'il emménageait chez son père parce que le Dr Moscovitz ne supportait pas la solitude. En fait, j'étais tellement sûre que ce que Michael allait m'annoncer ne changerait pas grand-

chose à notre relation que j'ai pris une énorme bouchée de nouilles froides avant qu'il dise :

« Tu te souviens du projet sur lequel je travaillais cet été ? Le bras-robot ?

— Celui grâce auquel les chirurgiens pourront opérer sans ouvrir le thorax ? ai-je répondu. Hum, hum.

— Eh bien..., a commencé Michael, ça marche. Du moins, le prototype. Et mon prof était tellement impressionné qu'il en a parlé à l'un de ses collègues qui travaille pour une firme japonaise – une firme qui cherche à perfectionner la chirurgie robotique – et son collègue aimerait que je vienne au Japon pour voir si on pourrait construire ensemble un robot que les chirurgiens utiliseraient en salle d'op.

— Ouah ! » me suis-je exclamée en avalant mes nouilles et en me préparant une nouvelle bouchée.

En fait, j'étais affamée. Je n'avais rien mangé depuis ma salade verte à midi. Ah oui, et quelques petits pois *wasabi* dans la suite de Grand-Mère (elle en a goûté un et l'a immédiatement recraché en hurlant : « OÙ SONT LES AMANDES ENROBÉES DE SUCRE ? » Pauvre Robert, il ne savait plus où se mettre).

« Tu pars quand ? Et combien de temps ? ai-je demandé. Un week-end ?

— Non, a fait Michael en secouant la tête. Tu n'as pas compris. Je ne vais pas là-bas pour un week-end. Je resterai jusqu'à ce que mon projet soit achevé. Mon prof s'est arrangé pour mes équivalences.

— Super! me suis-je exclamée. Tu pars quoi, alors? Une semaine?

— Mia, la construction du prototype m'a pris tout l'été, a dit Michael. Alors pour fabriquer un modèle, avec une console équipée d'un scanner d'imagerie à résonances magnétiques, il faut compter au moins un an, voire plus. Mais c'est une occasion que je ne peux pas laisser passer. Tu imagines que quelque chose que j'ai conçu pourrait sauver des milliers de vies? Je ne peux pas ne pas être là-bas quand ils vont le construire. »

Je me souviens d'avoir pensé, à ce moment-là: qu'est-ce qu'il vient de dire? Un an? Voire PLUS?

Évidemment, je me suis étranglée avec mes nouilles et Michael a dû se lever et venir me taper dans le dos et m'obliger à boire un grand verre d'eau.

Une fois que j'ai repris mon souffle, tout ce que j'ai réussi à dire, c'est: « Quoi? QUOI?? » plusieurs fois de suite.

Et pendant que Michael essayait de m'expliquer ce qu'il venait de m'annoncer – aussi patiemment que si j'étais Rocky et que je lui montrais un camion –, tout ce que j'entendais dans ma tête, c'était: *Il faut*

compter un an, voire plus. Mais c'est une occasion que je ne peux pas laisser passer. Il faut compter un an, voire plus. Mais c'est une occasion que je ne peux pas laisser passer. Il faut compter un an, voire plus. Mais c'est une occasion que je ne peux pas laisser passer.

Michael part au Japon. Pour un an. Peut-être plus.

Il part vendredi.

Vous comprenez maintenant pourquoi j'ai dû quitter la table ? Parce que dans quel monde ce genre de déclaration a-t-elle un sens ? Dans le monde des Bizarros, peut-être. Mais PAS dans le mien, ni dans celui qu'on partage, Michael et moi.

Ou plutôt qu'on partageait.

Pourtant, alors même que les mots continuaient de faire leur chemin dans mon esprit – il faut compter un an, voire plus. Mais c'est une occasion que je ne peux pas laisser passer –, j'ai dit : « Ouah, Michael ! C'est extraordinaire. Je suis tellement contente pour toi », tout en pensant dans ma tête : *Est-ce que c'est à cause de MOI ?*

Et puis, je ne sais pas comment, mais la petite voix dans ma tête s'est échappée, et avant que j'aie le temps de la retenir, je me suis entendue demander :

« Est-ce que c'est à cause de MOI ?

— Quoi ? » a fait Michael en clignant des yeux.

C'était un véritable cauchemar. Parce que même si, intérieurement, je me disais : « Tais-toi, tais-toi,

tais-toi», ma bouche semblait être devenue complètement indépendante du reste de mon corps. Du coup, une fois de plus, avant que je puisse la faire taire, je me suis entendue qui répétais:

«Est-ce que c'est à cause de moi? Est-ce que tu pars au Japon à cause de quelque chose que j'ai fait? Ou que je n'ai PAS fait?» ai-je ajouté.

Michael a secoué la tête et a répondu:

«Bien sûr que non, Mia. Tu ne comprends pas. C'est une occasion formidable! La firme japonaise a déjà commencé à faire travailler des ingénieurs sur mon projet. MON projet. Quelque chose que j'ai conçu, qui pourrait changer le cours de la chirurgie actuelle. Évidemment que je dois y aller.

—Mais est-ce qu'ils sont obligés de le fabriquer au *Japon*? ai-je demandé. N'y a-t-il pas des ingénieurs, ici, à Manhattan? Je suis sûre que oui. Tiens, le père de Ling Su, il est ingénieur!

—Mia, il s'agit de la firme de robotique la plus innovatrice et la plus performante au monde, m'a expliqué Michael. Le siège se trouve à Tsukuba, qui est la Silicone Valley du Japon. C'est là qu'ils ont tous leurs laboratoires, tout leur équipement... bref, tout ce dont j'ai besoin pour transformer mon prototype en un modèle de fabrique. Il faut que j'y aille.

—Mais tu reviendras..., ai-je commencé en m'efforçant de contrôler ma bouche, aux vacances de

Thanksgiving, de Noël et du printemps, n'est-ce pas ? »

Ça allait à toute vitesse dans ma tête. Je me disais : *O.K., ce n'est pas si terrible que ça, Michael part au Japon mais je le verrai pendant les vacances. Finalement, ça ne changera pas grand-chose comparé à l'an dernier. D'un certain côté, c'est même mieux : j'aurai plus de temps pour travailler et essayer de comprendre de quoi Mr. Hipskin nous parle en cours de chimie. Je pourrai peut-être même me mettre à aimer le calcul différentiel – une fois que j'aurai compris ce que c'est – et améliorer mes résultats en maths. Et puis, j'aurai tout le temps nécessaire pour finir mon scénario ET peut-être commencer un roman…*

C'est à ce moment-là que Michael a pris ma main et a dit :

« Mia, ça risque d'être un peu serré en matière de timing. Si on veut sortir le modèle le plus tôt possible, on ne peut pas se permettre de s'interrompre. Du coup… je ne crois pas que je rentrerai pour Thanksgiving ou Noël. Je pense que je reviendrai l'été prochain, quand on aura quelque chose de définitif à présenter aux chirurgiens. »

J'ai entendu les mots qui sortaient de sa bouche à lui, je savais qu'il parlait anglais, mais comme avec Mr. Hipskin en chimie, ce que me disait Michael n'avait aucun sens. *L'été prochain ?* En gros, Michael

était en train de m'annoncer qu'il serait absent – donc qu'on ne se verrait pas – pendant UN AN.

Bien sûr, je pourrais prendre l'avion pour aller le retrouver là-bas. Dans mes rêves, oui ! Parce que JAMAIS mon père n'accepterait de me laisser son jet privé pour aller au *Japon* !

Tout comme il refuserait que je prenne un vol sur une compagnie normale. Aucune compagnie aérienne au monde ne pourrait satisfaire les exigences de sécurité de Grand-Mère – sans parler de celles de mon père.

Bref, je me suis levée, j'ai demandé à Michael de m'excuser et je suis venue me réfugier ici. Parce que rien de tout cela n'avait de sens.

Je m'en fiche que ce soit une occasion formidable.

Je m'en fiche de l'argent qu'il va gagner pour fabriquer son robot ou du nombre de vies qu'il peut sauver grâce à lui.

POURQUOI UN GARÇON QUI AIME SA PETITE AMIE COMME MICHAEL DIT M'AIMER VOUDRAIT ÊTRE LOIN D'ELLE PENDANT UN AN ?

Kevin Yang ne m'est pas d'une grande aide. Il a haussé les épaules quand je lui ai posé la question et a lancé, l'air navré :

« Je n'ai jamais compris Michael, et ce depuis le premier jour où il est venu dans mon restaurant. Il

avait dix ans, et je me souviens, il m'a demandé du piment pour manger ses boulettes. Comme si mes boulettes n'étaient pas assez épicées ! »

Quant à Lars, qui a passé la tête par la porte pour voir où j'avais disparu, il a dit :

« Vous savez, princesse. Parfois les garçons ont besoin d'accomplir certaines choses pour faire leurs preuves. »

Mais leurs preuves par rapport à qui ? Ne suis-je pas la seule envers qui Michael doit prouver quelque chose ? Et excusez-moi, mais son départ au Japon n'a rien à voir avec le stage que Lars a fait dans le désert de Gobi, où il a appris à tirer sur des terroristes découpés dans du carton, quand IL a eu besoin de faire SES preuves.

Michael, lui, va dans un laboratoire japonais, c'est tout !

Je sais, son robot peut sauver des milliers de vie.

ET MA VIE À MOI ???

Finalement, c'était une très mauvaise idée de me réfugier ici. La présence de toutes ces têtes de canard me perturbe psychologiquement. Pas autant que le départ de Michael, c'est vrai, mais presque.

Il faut que je retourne dans la salle. Il faut que je me montre enthousiaste. Il faut que je sois heureuse pour Michael. Je ne vais pas lui demander de rester s'il m'aime, parce que ce serait vraiment trop égoïste

de ma part. Je l'ai eu pour moi toute seule pendant presque deux ans, je n'ai pas le droit de l'accaparer et priver le reste du monde de sa présence et de son génie.

Sauf que…

QU'EST-CE QUE JE VAIS DEVENIR SI JE NE PEUX PLUS RESPIRER L'ODEUR DE SON COU ??????

Je vais mourir.

Mardi 7 septembre, 10 heures du soir, à la maison

Je n'aurais pas dû faire ça.

Je sais que je n'aurais pas dû.

Qu'est-ce qui m'a pris d'ouvrir ma bouche comme ça ? Et pourquoi n'ai-je pas dit ce que je voulais dire, comme : « Oh, Michael, je suis tellement fière de toi » et « Oui, tu as raison, c'est une occasion que tu ne peux pas laisser passer. »

En fait, j'ai dit tout ça. Je jure que je l'ai dit.

Mais à un moment – alors qu'on longeait l'Hudson, parce que je n'avais pas envie de rentrer tout de suite pour profiter au maximum de chaque minute qu'il me restait à passer avec Michael avant son départ –, bref, à un moment – Michael me racontait qu'il était super excité à l'idée d'aller au Japon, qu'il avait entendu dire que là-bas, on man-

geait des nouilles au petit déjeuner et que les *shumai* qu'on achète dans la rue sont meilleurs que ceux qu'ils vendent chez Sapporo East –, j'ai lâché :

« Mais Michael… et NOUS ? »

Ce qui est probablement la question la plus pathétique, la plus idiote, la plus Lana Weinberger qu'une fille dans ma position pouvait poser. Franchement. Vous allez voir, dans peu de temps, je vais être du genre à baisser les yeux sur ma propre poitrine et dire : « Pourquoi tu portes un soutien-gorge, Mia ? Tu n'as rien à soutenir ! »

Mais Michael n'a pas tiqué.

« Nous ? a-t-il répondu. Je pense que ça va aller. Évidemment, tu vas me manquer, mais d'une certaine façon, je crois que ça sera plus facile pour moi d'être loin. »

J'ai pilé net et j'ai dit :

« QUOI ? »

Je le savais ! Je le savais que son départ avait un rapport avec moi.

« C'est juste que… je ne sais pas combien de temps encore je vais pouvoir tenir, a précisé Michael.

— Tenir ? ai-je répété, parce que je ne voyais pas du tout de quoi il parlait.

— Eh bien, oui, être avec toi et ne pas… », a marmonné Michael.

Comme je ne comprenais toujours pas où il voulait en venir (je sais, si quelqu'un doit souffrir d'un retard mental, c'est moi, et pas Rocky), j'ai insisté et j'ai dit :

« Être avec moi et ne pas QUOI ? »

Cette fois, Michael a été très clair.

« Et ne pas coucher avec toi », a-t-il répondu.

Oui, vous avez bien lu. Pour mon petit ami, ce n'est pas un problème de passer un an au Japon car ce sera plus facile pour lui d'être loin de moi que près et de ne pas coucher avec moi.

À la limite, je devrais m'estimer heureuse puisque d'après ce qu'il vient de m'avouer, c'est manifestement un obsédé sexuel et j'ai probablement de la chance d'être débarrassée de lui.

Mais, bien sûr, ce genre de réflexion ne m'a pas traversé l'esprit à ce moment-là. À ce moment-là, j'étais tellement sous le choc que j'ai dû m'asseoir. Et le siège le plus proche était une balançoire dans une aire de jeux de l'Hudson River Park. Du coup, je m'y

suis assise et j'ai regardé mes genoux pendant que Michael disait :

« L'an dernier, je t'ai promis que j'attendrais, et je suis prêt à attendre, Mia. Mais je ne vois pas très bien comment tu peux penser qu'on le fera le soir du bal qui clôturera la fin de tes études secondaires puisque tu sais très bien que je n'irai pas. C'est fini pour moi, tout ça, Mia. Par ailleurs, je trouve assez ringard qu'une fille se fasse accompagner par son petit copain à ce genre de cérémonie. Mais bon. De toute façon, ta remise des diplômes n'aura pas lieu avant deux ans, et deux ans, c'est long pour continuer à faire… ce qu'on fait. Je dois t'avouer que je commence à me lasser un peu de toutes ces douches froides. »

J'étais INCAPABLE de le regarder dans les yeux après ces révélations. J'avais les joues en feu. Mais je ne pense pas que Michael ait remarqué quoi que ce soit car heureusement pour moi, la nuit commençait à tomber. On était seuls dans le square, ce qui fait que personne ne pouvait nous entendre. Quant à Lars, il faisait mine de s'intéresser au fleuve, à une dizaine de mètres de nous – en réalité, il reluquait les filles qui faisaient du roller un peu plus loin –, du coup, j'étais tranquille de ce côté-là aussi.

Mais bon, c'était quand même *très* gênant.

Cela dit, si je suis franche, je dois reconnaître que je me doutais plus ou moins du tourment qu'il devait

endurer quand… après s'être embrassés avec fougue, je le repoussais.

« C'est juste que ce n'est pas facile pour moi, a-t-il repris. Apparemment, ça l'est pour toi…

— C'est faux ! » l'ai-je interrompu.

Parce que ça n'était pas facile pour moi non plus. À plusieurs reprises, l'idée de se dévêtir et de le faire, comme ça, spontanément, m'avait traversé l'esprit. J'étais même arrivée à trouver belle l'idée que Michael me déshabille quand, il y a quelque temps encore, à la seule perspective de le voir nu, j'en avais des suées.

Car… où cette rencontre spontanée de nos deux corps était-elle censée se produire ? Dans ma chambre, avec ma mère à côté ? Dans SA chambre, avec SA mère à côté ? Sur le campus, avec mon garde du corps dans le couloir et Doo Pak risquant de débarquer à n'importe quel moment ?

Et le moyen de contraception ? Lequel fallait-il employer ? Sans parler de la rumeur selon laquelle, une fois qu'on l'a fait, on ne pense plus qu'à le refaire ? Finies les soirées DVD où on regardait tous les épisodes de *La Guerre des étoiles* ?

« Très bien, a répondu Michael. Dans ce cas, si c'est aussi dur pour toi que pour moi, que je passe un an au Japon ne doit finalement pas t'embêter tant que ça, non ? »

Je l'ai dévisagé, interloquée. Comment avait-on pu en arriver là ? Sérieux. J'étais en fait si bouleversée que j'ai brusquement éclaté en sanglots.

Ce qui était AFFREUX, parce que BIEN SÛR, le départ de Michael était une BONNE CHOSE. Si son robot possédait toutes ces qualités, comme le pensaient ces gens – si Columbia acceptait d'envoyer l'un de ses étudiants au Japon et lui accordait d'office toutes les équivalences nécessaires à son cursus universitaire –, se mettre à pleurer comme je le faisais était inacceptable pour une princesse !

Mais je n'ai jamais dit que je voulais être acceptée comme princesse.

« Mia », a murmuré Michael en s'agenouillant dans le sable à mes pieds, et en me prenant la main.

Je voyais bien qu'il se retenait de ne pas rire – la situation était cocasse, je vous l'accorde – et je suppose que j'aurais ri aussi si je n'avais pas autant pleuré.

« Essaie de voir le bon côté des choses, a-t-il continué. Et pas seulement en ce qui me concerne, mais en ce qui *nous* concerne. Ce voyage est ma chance de prouver à ta Grand-Mère et à tous ceux qui pensent que je ne vaux rien et que je ne te mérite pas, que je *suis* en fait quelqu'un de bien et que je serai peut-être un jour digne de toi.

— Mais tu es digne de moi ! » me suis-je exclamée.

C'est moi qui ne suis pas digne de toi, ai-je pensé, dans mon for intérieur.

« Des tas de gens croient le contraire », a fait observer Michael.

Ce qui était vrai. Toutes les semaines, *Us Weekly* faisait paraître un article sur le garçon avec qui je devrais sortir à la place de Michael. Le prince William arrivait généralement en tête, quoique Wilmer Valderrama soit régulièrement cité aussi. Le magazine présentait une photo de Michael sortant d'un cours à la fac à côté d'une photo de James Franco, par exemple, puis le journaliste écrivait 2 % au-dessus de la photo de Michael, pour montrer que seulement 2 % des lecteurs pensaient que je devais sortir avec Michael, et 98 % au-dessus de la photo de James Franco, histoire de bien marquer que la majorité des gens estimaient que je ferais mieux d'être avec un garçon qui n'avait jamais rien accompli dans sa vie, sauf poser devant un appareil photo ou une caméra et prononcer quelques mots que quelqu'un avait écrits pour lui.

Et bien sûr, les sentiments de ma Grand-Mère à l'égard de Michael n'étaient un secret pour personne. Ils étaient même presque légendaires.

« Mia, a repris Michael en plongeant ses yeux noirs dans mes yeux clairs, tu es une princesse, et tu le seras toute ta vie, quoi que tu fasses pour le nier.

Un jour, tu gouverneras un pays. Tu sais déjà quel sera ton destin, il est là, tracé devant toi. Ce qui n'est pas le cas pour moi. Je dois encore trouver qui je suis et comment laisser ma marque dans ce monde. Et si je veux vivre avec toi, je vais devoir laisser une super marque, car dans l'esprit des gens, pour qu'un type sorte avec une princesse, c'est qu'il doit être très spécial. Bref, j'essaie de répondre aux attentes de tous.

— Sauf que ce sont *mes* attentes seulement qui devraient compter, ai-je rappelé à Michael.

— Et ce sont celles qui m'importent le plus, Mia, a répondu Michael en serrant mes mains, mais tu sais très bien que jamais je ne serai heureux dans le seul rôle de prince consort, qui doit se tenir continuellement derrière sa femme. Et je sais que tu ne serais pas heureuse non plus. »

J'ai grimacé au souvenir du protocole instauré par le Parlement de Genovia concernant l'homme que j'épouserais – mon consort, comme on dit, tenu de se lever dès que je me lève, d'attendre que je m'empare de ma fourchette avant de soulever la sienne, d'interrompre toute activité qui pourrait mettre sa vie en danger (comme la course automobile, les régates, l'escalade, le parachutisme, etc.) tant qu'un héritier ne sera pas né. Et ce n'est pas tout. En cas d'annulation du mariage ou de divorce, il devra

renoncer à ses droits, pourvoir aux besoins des enfants nés pendant le mariage… et abandonner également la citoyenneté de son pays d'origine en faveur de celle de Genovia.

« Attention, je ne suis pas en train de dire que je refuse de le faire, a poursuivi Michael. Ça ne m'embêterait pas si… si j'avais moi-même fait quelque chose de ma vie. Quelque chose que j'ai l'occasion de réaliser… aujourd'hui. Quelque chose qui fera la différence. Comme tu feras la différence un jour. »

J'ai cligné plusieurs fois des yeux, pas parce que je n'avais rien compris. Enfin, j'avais compris une chose. Et Michael avait raison. Il n'était pas le genre d'homme à se contenter de marcher toute sa vie derrière sa femme – sauf s'il avait accompli quelque chose de personnel. Quelle que soit cette chose, d'ailleurs.

Ce que je ne comprenais pas, en revanche, c'est pourquoi il devait aller l'accomplir au JAPON.

« Mia, a repris Michael en me serrant à nouveau les mains, arrête de pleurer. J'ai l'impression que Lars s'inquiète.

— C'est son boulot, ai-je répondu en reniflant. Il est censé me protéger… éviter que je souffre ! »

Mais à la pensée qu'il s'agissait d'une souffrance contre laquelle même un garde du corps de deux mètres de haut armé d'un revolver ne pouvait rien faire, j'ai pleuré de plus belle.

Michael a alors éclaté de rire.

« Ce n'est pas drôle ! me suis-je écriée à travers mes larmes.

— D'une certaine façon, si, a-t-il répondu. Reconnais-le. On forme un couple plutôt pathétique, non ?

— Je vais te dire ce qui est pathétique, ai-je déclaré. Ce qui est pathétique, c'est que tu vas partir au Japon et que tu vas rencontrer une geisha et m'oublier !

— Pourquoi rencontrerais-je une geisha alors que je t'ai déjà toi ? a demandé Michael.

— Parce que les geishas couchent, ai-je fait remarquer entre deux sanglots. Je le sais, je l'ai vu dans un film.

— Maintenant que tu le dis, c'est vrai qu'une geisha, ce n'est pas une si mauvaise idée que ça », a-t-il répliqué.

Je l'ai frappé parce qu'il osait plaisanter et que je ne voyais toujours pas ce qu'il y avait de drôle.

En fait, la situation était tout sauf drôle. Elle était horrible, injuste, tragique.

Mais j'ai cessé de pleurer au bout d'un moment. Il le fallait bien. Et quand Lars nous a rejoints et m'a demandé si ça allait, j'ai répondu oui.

Même si c'était faux.

Et que ça l'est toujours. Et que ça le sera jusqu'à la fin de ma vie.

Pourtant, j'ai fait comme si. De toute façon, je n'avais pas d'autre solution, n'est-ce pas? Et quand Michael m'a raccompagnée, je lui ai pris la main en marchant. Quand on est arrivés devant ma porte, je l'ai laissé m'embrasser (Lars s'était poliment écarté pour soi-disant refaire ses lacets. Heureusement, d'ailleurs, parce qu'en m'embrassant, Michael en a profité pour glisser ses mains sous mon tee-shirt. Mais tendrement, comme Jennifer Beals et Michael Nouri dans *Flashdance,* quand ils se retrouvent dans l'usine désaffectée).

Et lorsqu'il a murmuré à mon oreille: « Ça va? », j'ai dit: « Oui, ça va », même si ça n'allait pas du tout.

Puis, quand il a ajouté: « Je t'appelle demain », j'ai répondu: « Tu as intérêt. »

Mais une fois la porte de chez moi fermée, je me suis dirigée droit vers le congélateur, j'ai pris un pot de glace (à la vanille pécan et macademian, de chez Häagen-Dazs), je suis allée dans ma chambre et j'ai tout mangé.

Mais je ne me sens pas mieux pour autant. J'ai peur de ne plus jamais me sentir bien.

Mardi 7 septembre, 11 heures du soir, à la maison

Ma mère vient de sortir de ma chambre. Elle a frappé à ma porte peu de temps après mon retour, et quand elle m'a demandé si j'étais là et que j'ai répondu oui, elle est entrée.

« Je ne t'avais pas entendue, a-t-elle dit. Tu as passé une bonne soirée avec… »

Elle s'est brusquement tue en voyant le pot de Häagen-Dazs vide. Et mon visage.

« Chérie ! s'est-elle exclamée en s'asseyant sur le lit à côté de moi. Que s'est-il passé ? »

En guise de réponse, j'ai éclaté en sanglots. À croire que je n'avais pas déjà assez pleuré comme ça. Je ne savais pas que les humains étaient CAPABLES de produire autant de larmes en si peu de temps.

« Il… il part pour… pour le Japon », ai-je hoqueté avant de me jeter dans ses bras.

Je ne voulais pas lui dire que ça. Je voulais lui dire que c'était ma faute, parce que j'avais refusé de coucher avec lui, même si au fond, je sais que ce n'est pas tout à fait la vraie raison. La vraie raison, c'est que je suis une princesse. Quel garçon pourrait être à la hauteur, hein ? À part un prince.

Vous savez ce que je trouve le plus insupportable dans toute cette histoire ? C'est que je n'ai rien fait pour être princesse. Ce n'est pas comme si j'avais sauvé le président d'un attentat comme Samantha Madison, ou découvert des tas d'enfants disparus grâce à mes pouvoirs de médium comme Jessica Mastriani, ou empêché des centaines de touristes de se noyer comme la petite Tilly Smith sur cette plage en Thaïlande quand elle a senti qu'un tsunami menaçait parce qu'elle venait d'étudier les tsunamis à l'école, et qu'elle a crié à tout le monde de partir en courant.

Non, moi, tout ce que j'ai fait, c'est naître.

Ce que TOUT LE MONDE fait.

Mais je ne pouvais pas dire ça à ma mère. On avait déjà parlé de mon statut de princesse et le sujet était épuisé depuis longtemps. De toute façon, Michael a raison : je suis princesse et je le serai toute ma vie. Ça ne sert à rien de me plaindre. C'est comme ça, point final. Du coup, j'ai continué de pleurer.

Je reconnais que ça m'a fait du bien. C'est toujours agréable de se blottir dans les bras de sa mère, quel que soit l'âge qu'on a. Les mères ne dégagent pas de phéromones – enfin, je crois –, et elles sentent bon. Du moins, la mienne. Elle sent le savon Dove, le white-spirit et le café. Ce qui, quand on mélange les trois, est la deuxième meilleure odeur au monde.

La première étant celle du cou de Michael, bien sûr.

Ma mère m'a dit tout ce qu'une maman dit dans ces cas-là, comme « Ma chérie, ça va aller, j'en suis sûre », et puis « Tu sais, un an, c'est vite passé » et encore « Si ton père t'offre le nouveau Powerbook avec la caméra intégrée, vous pourrez vous voir Michael et toi quand tu lui téléphoneras, et ce sera comme s'il était dans la même pièce que toi. »

Sauf que ça ne marchera pas. Puisque je ne pourrai pas sentir son odeur.

Lorsque Mr. G nous a rejointes, parce que je faisais quand même beaucoup de bruit à pleurer comme ça, je me suis ressaisie et je leur ai dit de ne pas se faire de souci pour moi. J'allais m'en sortir. Je me suis même efforcée de sourire et ma mère m'a tapoté la tête tout en déclarant que, si j'avais survécu à tout ce temps passé avec Grand-Mère, je survivrais sans problème à l'absence de Michael.

C'est faux. Passer du temps avec Grand-Mère, c'est comme manger un pot entier de vanille pécan et macadémia comparé à passer un an sans Michael.

Voire plus.

MOI, UNE PRINCESSE ? À D'AUTRES !
Scénario écrit par
Mia Thermopolis
(première mouture) ?

Scène 2

INT/NUIT

Le bassin des pingouins au zoo de Central Park. Une jeune fille (MIA) est assise, seule. Dans la lueur bleutée du bassin, elle écrit son journal.

MIA, *voix off*

Je ne sais pas où aller ni vers qui me tourner. Je ne peux pas appeler Lilly. Elle est farouchement opposée à toute forme de gouvernement qui n'est pas représenté par le peuple, et a toujours dit que lorsque la souveraineté était exercée par une seule personne dont le droit à régner était héréditaire, les principes de l'égalité sociale et le respect de l'individu au sein de la communauté étaient irrévocablement perdus. C'est pourquoi, aujourd'hui, le vrai pouvoir est passé des monarques régnants aux assemblées constitutionnelles, faisant des souverains comme la reine Elizabeth de simples symboles de l'unité nationale.

Sauf à Genovia, apparemment.

Mercredi 8 septembre, en perm

Michael a parlé à Lilly. Je le sais parce que quand la limousine s'est arrêtée ce matin devant l'immeuble des Moscovitz, il se tenait à côté d'elle, un chocolat chaud (avec de la crème fouettée) de chez Starbuck à la main pour moi. Et quand Hans a ouvert la porte pour que Lilly monte, il s'est penché et m'a dit :

« Bonjour. Tiens, c'est pour toi. Promets-moi que tu n'as pas changé d'avis cette nuit et que tu ne me détestes pas. »

Évidemment que je ne pourrai jamais détester Michael. Surtout quand le soleil brille et que ses rayons tombent sur ses joues fraîchement rasées et que, quand il se penche pour m'offrir un chocolat chaud et que je l'embrasse, je sens son odeur qui me fait dire chaque fois que rien de mal ne peut m'arriver.

Jusqu'à ce qu'il soit tellement loin que je ne pourrai plus jamais m'enivrer de son odeur.

Ce qui risque de se passer quand il sera au Japon.

« Je ne te déteste pas, ai-je répondu.

— Super ! Qu'est-ce que tu fais, ce soir ? a-t-il demandé.

— Euh… je sors avec toi, ai-je dit.

— Bonne réponse, a-t-il fait. Je passe te prendre à 19 heures. »

Puis il m'a embrassée et s'est écarté pour laisser Lilly monter. Ce qu'elle a fait en lâchant un : « Dégage, abruti ! », qu'elle adressait à son frère.

Lilly n'a jamais été du matin.

Avant de fermer la portière, Michael a lancé :

« Et soyez gentilles avec les autres enfants, les filles ! »

Et Lilly a marmonné :

« Quel abruti, je te jure !

— Tu exagères, il s'est écarté pour te laisser monter dans la voiture, ai -je déclaré.

— Je ne parle pas de ça, a dit Lilly. Je le traite d'abruti à cause de son histoire de Japon.

— Sauf que, si son robot marche, il sauvera des milliers de vies et gagnera des milliers de dollars », ai-je fait remarquer tout en soufflant sur mon chocolat chaud.

Lilly m'a regardée, les yeux écarquillés :

« Ne me dis pas que tu vas le laisser partir comme ça ! s'est-elle exclamée.

— Je n'ai pas vraiment le choix, non ? ai-je rétorqué.

— Je suis sûre que, si tu lui faisais une grosse crise, il ne partirait pas, a affirmé Lilly.

— J'ai déjà essayé, ai-je répliqué. J'ai pleuré, j'ai hoqueté, j'ai sangloté, j'ai tout fait. Il n'a pas changé d'avis. »

Comme la réponse de Lilly était incompréhensible, j'ai ajouté, parce que j'avais réfléchi à la question toute la nuit :

« Il ne peut pas faire autrement. Bien sûr, je n'ai pas envie qu'il parte, mais Michael ne reviendra pas sur sa décision. Il est persuadé qu'il doit faire ses preuves pour que *Us Weekly* cesse de vouloir me fiancer à James Franco. Ce qui est stupide, mais que veux-tu que j'y fasse ?

— James Franco ! s'est écriée Lilly. Il faut reconnaître qu'il est plutôt mignon.

— Pas autant que Michael, ai-je corrigé.

— Berk », a lâché Lilly, comme chaque fois que je dis que son frère est mignon.

À ce moment-là, vu qu'elle semblait avoir de la compassion pour moi, j'ai pensé que je pourrais peut-être en profiter pour lui demander, l'air de rien :

« Au fait, vous avez couché ensemble, J-P et toi, cet été ? »

Lilly a éclaté de rire.

« Raté, PDG, a-t-elle dit. Je compatis à ta souffrance mais pas à ce point ! »

Zut.

Mercredi 8 septembre, en Intro à la création littéraire

Décrivez une scène vue de votre fenêtre :

La jeune fille est assise sur la balançoire. Elle a les yeux rouges tellement elle a pleuré. Le monde tel qu'elle l'a connu n'existe plus. Elle ne rira plus jamais avec un abandon tout enfantin car son enfance est derrière elle. Espoirs brisés et rêves déçus seront désormais ses seuls compagnons à présent que l'amour de sa vie s'est envolé. Elle lève les yeux pour suivre le tracé d'un avion dans le ciel brillamment éclairé, tandis que le soleil se couche à l'ouest. Son amour se trouve-t-il dans cet avion ? Sans doute. Et il disparaît dans l'embrasement du coucher du soleil.

Mia, quand je vous ai demandé de décrire une scène vue de votre fenêtre, je voulais dire quelque chose que vous voyiez vraiment de votre fenêtre, comme un terrain vague ou une épicerie portoricaine. Je ne vous demandais pas d'inventer une scène. Et je sais que vous avez inventé cette scène car il est impossible que vous sachiez ce que pense cette jeune fille sur sa balançoire (en admettant que vous voyiez des balançoires de votre fenêtre, ce dont je doute car dans NoHo, le quartier de Manhattan où vous habitez, il n'y a pas de square donc de balançoires),

sauf bien sûr si vous *êtes* cette jeune fille, auquel cas vous ne pourriez pas la voir puisqu'on ne peut pas se voir, sauf dans un miroir. Je vous demande donc de me réécrire un texte en respectant les consignes. Je vous donne ce genre de sujets pour des raisons bien précises et j'entends que vous les respectiez.

C. MARTINEZ

Mercredi 8 septembre, en anglais

Mia ! J'ai appris la nouvelle. Ça va ???

Honnêtement, Tina, je ne sais pas.

Mais tu es d'accord pour reconnaître que c'est génial. Pour Michael, je veux dire.

Oui.

Tu pourras aller le voir là-bas ! Que ton jet privé te serve au moins à ça !!

Oui, bien sûr, j'irai le voir.

Attends… Tu es sarcastique, là ?

Oui, je suis sarcastique. Jamais mon père ne me laissera aller au Japon, Tina. Pas pour aller voir Michael.

Eh bien débrouille-toi pour qu'il t'y envoie pour rencontrer la princesse du Japon. C'est ton amie, non ? ET une fois sur place, tu en profites pour voir Michael.

Merci, Tina. Mais malheureusement, ça ne marche pas comme ça. Souviens-toi que, dès qu'on est en vacances, je prends l'avion pour Genovia. Par ailleurs, même si j'allais au Japon, je ne suis pas sûre que Michael ait envie de me voir.

Quoi ? Évidemment qu'il aurait envie de te voir ! Pourquoi tu dis ça ??

Parce que Michael ne part pas seulement à cause de son robot. Il part également pour s'éloigner de moi.

Quoi ?? Tu es folle !!! Qu'est-ce qui te fait dire ça ??

Michael. Il m'a expliqué que c'était super dur pour lui de me voir et de ne pas… tu vois à quoi je pense.

Oh, mon Dieu ! C'est la chose la plus romantique que j'aie jamais entendue de ma vie !!!!!!

Tina !!! Ce n'est pas du tout romantique !!!!

Il T'AIME !!!!!!!!!! Tu devrais être HEUREUSE !!!

Heureuse que mon petit ami parte pour un pays lointain parce qu'il en a assez d'être repoussé ? Oui, tu as raison.

Tu es de nouveau sarcastique, n'est-ce pas ?

Oui.

Mia, ne comprends-tu pas ? Ce qui t'arrive est TELLEMENT romantique : Michael se comporte exactement comme Aragorn dans *Le Seigneur des Anneaux*. Tu te rappelles quand Aragorn, qui est super amoureux d'Arwen, se sent indigne d'elle parce qu'elle est une princesse elfe et que son père n'accepterait jamais qu'il l'épouse à moins qu'il ne reconquière son trône et prouve qu'il est plus qu'un simple mortel ?

Euh… Oui, je me rappelle.

Eh bien, Michael est exactement en train de reconquérir son trône afin de prouver qu'il est digne de toi !!!!

Tout comme Aragorn. Bon d'accord, il le reconquiert en inventant un engin dont la compréhension échappe à tout le monde sauf à lui. Mais ce n'est pas grave. Ce qui compte, C'EST QU'IL LE FASSE POUR TOI.

Et pour les milliers de personnes dont il peut sauver la vie. Ainsi que pour les milliers de dollars qu'il risque de gagner si ça marche.

Si tu veux. Mais ce que tu dois te dire, c'est que tout ça fait partie d'un ensemble de choses qu'il fait POUR TOI.

Mais je me fiche de ça, Tina. Bien sûr, je veux son bonheur, mais mon bonheur à moi, c'est qu'il reste

ici et que je puisse sentir l'odeur de son cou tous les jours !!!!

J'ai bien peur que tu ne doives y renoncer pour que Michael puisse s'auto-actualiser. Tu n'as qu'à te dire que ce qu'il est en train d'accomplir en ce moment, c'est une façon de te garantir l'odeur de son cou jusqu'à la fin de ta vie. S'il fait fortune grâce à son robot, ta Grand-Mère ou qui que ce soit d'autre d'ailleurs ne pourra pas vous empêcher de vous marier car vous n'aurez qu'à vous enfuir. Et tant pis si ton père te coupe les vivres, puisque Michael sera riche. Tu vois ce que je veux dire ?

Oui. Ce que je ne comprends pas, c'est pourquoi il ne peut pas s'auto-actualiser ICI, en Amérique.

Je t'avoue que je ne comprends pas non plus. Mais je suis sûre que Michael t'aime, et c'est ça qui compte !!!!!

Tout est tellement simple dans le monde de Tina. Comme j'aimerais y vivre au lieu d'être confrontée à la dure et terrible réalité.

Mercredi 8 septembre, en français

Au fond de moi, je sais que Tina a raison. Mais je ne peux pas être aussi enthousiaste qu'elle. Peut-être parce que Aragorn, même s'il est fidèle à Arwen, éprouve quand même quelque chose pour Eowyn.

Qu'est-ce qui empêche Michael de ressentir la même chose à l'égard d'une belle geisha/informaticienne japonaise ?

Bon. Passons à mon texte sur la palpitante soirée :

Chères croyantes, nous a annoncé la présentatrice de la chaîne. Vous allez avoir la chance de voir un film remarquable, le premier d'une série de six, qui a changé la vie de milliers de femmes dans le monde. Je veux parler du Plus grand mérite de la femme.

58 + 49 = 107 mots
Encore 93 mots.

Quand j'ai croisé Lana tout à l'heure dans le couloir, elle m'a lancé : « Hé, Peter, tu arrives droit du Pays de Nulle Part ? », ce qui a fait éclater de rire son nouveau clone ainsi que sa diabolique acolyte, Trish Hayes.

Pour en revenir à Michael/Aragorn, je ne sais finalement pas quoi en penser car je n'ai jamais fini

Le Seigneur des Anneaux. Il n'y a pas assez de personnages féminins (du coup, j'ai fait comme si Merry était une fille Hobbit). Cela dit, ça m'étonnerait que ce qui m'arrive arriverait à Arwen.

Mercredi 8 septembre, pendant le déjeuner

Alors que j'étais innocemment assise en train de manger un falafel, Ling Su s'est installée en face de moi et a dit : « Ça va, Mia ? », les yeux remplis de compassion.

« Oui », ai-je répondu.

Puis, ça a été au tour de Yan.

C'est fou ce que les nouvelles vont vite.

« Je n'arrive pas à y croire », a déclaré ensuite Shameeka en posant son plateau à côté de celui de Yan.

Normalement, Shameeka ne mange pas à notre table ; elle mange avec les pompom girls et les sportifs, et les espionne pour notre compte.

« Il part vraiment au Japon ? a-t-elle demandé.

— Ça en a tout l'air », ai-je fait.

C'est curieux, mais chaque fois que j'entends le mot Japon maintenant, mon cœur se serre. Comme quand j'entendais le nom de Buffy avant, à l'époque où je regardais *Buffy contre les vampires*.

« Largue-le, a lâché Boris, qui venait de nous rejoindre.

— BORIS ! s'est exclamée Tina, l'air choqué. Mia, ne fais pas attention à lui. Il ne sait pas de quoi il parle.

— Bien sûr que je sais de quoi je parle, a riposté Boris. Ça arrive tout le temps dans les orchestres. Deux musiciens tombent amoureux, l'un d'eux obtient un boulot mieux payé dans un autre orchestre qui se produit dans une autre ville, voire un autre pays. Et tôt ou tard, l'un d'eux finit par tomber amoureux du ou de la clarinettiste. Les amours lointaines ne marchent pas, c'est connu. Alors, si tu veux mon avis, Mia, largue-le maintenant, et passe à autre chose.

— Boris ! s'est à nouveau exclamée Tina. Comment peux-tu dire une chose pareille ? C'est terrible ! »

Boris a haussé les épaules.

« Quoi ? a-t-il fait. C'est la vérité. Tout le monde le sait.

— Mon frère ne va pas tomber amoureux de quelqu'un d'autre, est intervenue Lilly d'une voix morne, depuis sa place, au bout de la table, où elle était assise en face de J-P. O.K. ? Il est fou amoureux de Mia.

— Et tac ! a fait Tina en tapotant Boris avec sa paille. Tu as entendu ?

— Moi, je ne disais que ce que je sais, s'est défendu Boris. Peut-être que Michael ne tombera pas amoureux d'une clarinettiste. Mais Mia, si.

— BORIS ! a hurlé Tina, horrifiée. Qu'est-ce qui te permet de dire ÇA ??

— C'est vrai, Boris, est de nouveau intervenue Lilly en l'observant comme s'il s'agissait d'un insecte trouvé dans l'herbe. Et puis, c'est quoi cette obsession pour les clarinettistes ? Je croyais que tu considérais les bois comme inférieurs aux cordes.

— Encore une fois, je ne fais qu'énoncer un fait, a déclaré Boris en reposant sa fourchette bruyamment comme pour signifier qu'il parlait sérieusement. Mia n'a que seize ans. Et ils ne sont pas mariés. Michael ne devrait pas se dire qu'il peut partir comme ça à l'étranger et qu'elle va l'attendre. Ce n'est pas juste pour Mia. Elle devrait avoir le droit de vivre sa vie à sa guise, de sortir avec d'autres garçons, bref de s'amuser au lieu de rester chez elle tous les samedis soir jusqu'à son retour. »

J'ai vu Shameeka et Ling Su se regarder, avec l'air de penser : *Oups, il a peut-être raison.*

Tina, en revanche, ne semblait pas du tout d'accord.

« Est-ce que tu es en train de dire que, si tu es premier violon à l'orchestre philharmonique de

Londres, tu ne voudrais pas que je t'attende ? lui a-t-elle demandé.

— Évidemment que je voudrais que tu m'attendes, a aussitôt répliqué Boris. Mais je ne te le DEMANDERAI pas. Ce ne serait pas juste. Même si je sais que tu M'ATTENDRAIS, parce que tu es le genre de filles à attendre.

— Mia aussi est ce genre de filles ! a décrété Tina.

— Non, a rétorqué Boris en secouant gravement la tête, je ne crois pas.

— C'est bon, Boris, ai-je dit avant que Tina n'explose. Je veux passer tous mes samedis soir chez moi en attendant le retour de Michael. »

Boris m'a regardée comme si j'avais perdu la tête.

« C'est vrai ?

— Oui, ai-je répondu. Parce que j'aime Michael et que, si je ne peux pas être avec lui, je préfère être seule. »

Boris a de nouveau secoué la tête, tristement cette fois.

« C'est ce que disent tous les musiciens d'orchestre, a-t-il déclaré. Mais au bout d'un moment, il y en a toujours un des deux qui en a assez d'attendre le samedi soir. Et un jour, tu apprends qu'il est avec un ou une clarinettiste. Il y a *toujours* un ou une clarinettiste dans les parages. »

Tout cela était très déroutant. J'étais assise, là, en proie au même sentiment de panique qui m'envahissait chaque fois que je pensais au départ de Michael – dans trois jours à peine ! Trois jours et il ne serait plus là – quand je me suis rendu compte que J-P me regardait.

Et lorsque j'ai croisé son regard, il m'a souri. Et il a levé les yeux au ciel, comme pour dire : *Écoute-moi ce fou de violoniste russe ! Il raconte n'importe quoi !*

Tout à coup, mon sentiment de panique a disparu et je me suis sentie bien. J'ai rendu son sourire à J-P et j'ai repris mon falafel en disant :

« Ne t'inquiète pas pour nous, Boris. Je crois qu'on va s'en sortir, Michael et moi.

— Bien sûr qu'ils vont s'en sortir », a répété Tina.

Au même moment, Boris a poussé un hurlement. Je parie que Tina lui a donné un coup de pied sous la table.

J'espère qu'elle lui a fait mal et qu'il aura un bleu.

Mercredi 8 septembre, en étude dirigée

Lilly ne m'a même pas laissé vingt-quatre heures pour me remettre. On était à peine installées dans la salle d'étude dirigée qu'elle a commencé à me harceler avec cette histoire de délégué de classe.

« Écoute-moi, PDG, a-t-elle déclaré. Même si tu es la seule à te présenter aux élections, tu ne peux les remporter que si 50 % au moins des élèves ont voté pour toi.

— Pour qui d'autre peuvent-ils voter ? ai-je demandé.

— Pour eux-mêmes, a répondu Lilly. Par exemple, tu peux être battue par Lana, même si en principe, elle ne se présente pas. Tu sais que sa petite sœur est au lycée, cette année ? »

J'étais tellement obsédée par le départ de Michael que cette information m'est passée bien au-dessus de la tête.

« Mia, tu écoutes ! s'est exclamée Lilly en levant les yeux d'un air agacé de son classeur sur les élections. Gretchen Weinberger est la copie conforme de sa grande sœur, en plus aigrie peut-être. Tu te souviens de ce documentaire qu'on a vu sur MTV ? *La Vraie Vie ?* Eh bien, Gretchen pourrait aisément rallier toutes les première année à sa cause et te battre si elle le voulait. Ils sont tellement amorphes ! Je n'ai jamais rencontré de gens qui réfléchissent si peu. L'autre jour, j'en ai entendu un qui racontait que le réchauffement de la planète était un mythe parce que Michael Crichton l'avait dit, quand il s'est excusé d'avoir écrit *État d'urgence*.

Cette fois, j'ai tendu l'oreille. Est-ce que Gretchen Weinberger était le clone de Lana que j'avais croisée l'autre jour et qui avait éclaté de rire quand Lana s'était moquée de ma coupe de cheveux ? Sans doute. Si elle était sa sœur, alors, oui, ça avait plus de sens.

« Cela dit, cette remarque stupide sur cet imbécile de Crichton m'a donné une idée, a continué Lilly. Il s'agit d'une génération qui a grandi dans la peur. La peur des féministes qui, comme tout le monde le sait, ne pensent qu'à détruire les valeurs de la famille (ha ha), la peur des terroristes, la peur de ne pas avoir la moyenne ou son diplôme de fin d'études secondaires, la peur de ne pas être accepté à Yale ou à Princeton, et donc de rater ses études, ou de se retrouver dans une université moins réputée qui risque de les obliger à accepter un boulot pour lequel ils ne seront payés que cent mille dollars par an au lieu de cent cinquante mille. Bref, je te propose de jouer sur ces peurs, de nous en servir comme d'un avantage.

— Comment comptes-tu t'y prendre ? ai-je demandé, non que je m'en soucie vraiment, mais bon. N'oublie pas, en plus, qu'on fait partie de la même génération que la petite sœur de Lana. Même si on est un tout petit peu plus âgées.

— Faux ! a déclaré Lilly, les yeux brillants. Elle est née suffisamment longtemps après nous pour ne pas

avoir connu *La Vie à cinq*, ce qui prouve que nous n'appartenons pas à la même génération. Mais je crois savoir EXACTEMENT où est leur point faible. Je travaille dessus. Normalement, tout devrait être prêt d'ici demain. Ne t'inquiète pas, PDG, ils te supplieront de les représenter comme délégué.

— Ouah ! ai-je fait, merci Lilly, mais… je ne suis pas sûre de vouloir me présenter cette année. »

Lilly a battu des paupières.

« Quoi ? » s'est-elle écriée.

J'ai pris ma respiration ; ça n'allait pas être facile.

« C'est juste que…, ai-je commencé. J'ai chimie, cette année, et le programme de maths porte sur le calcul différentiel. Je n'ai eu qu'un cours dans chacune de ces matières, et je peux t'assurer que je n'ai pas la moindre idée de ce qu'ont raconté les profs. Pas la moindre. C'est pourquoi, je vais vraiment devoir me concentrer sur mes études et travailler dur cette année, surtout après la note que j'ai eue à mon examen de maths en juin dernier. Tout ça pour te dire que je n'aurai pas le temps de faire quoi que ce soit d'autre. Et je ne te parle pas de mes leçons de princesse. »

Lilly a haussé un sourcil. Je déteste quand elle fait ça. Parce qu'elle sait le faire et pas moi.

« C'est à cause de mon frère, n'est-ce pas ? » a-t-elle susurré.

Ce n'était pas une question.

« Bien sûr que non, ai-je rétorqué.

— Parce que, avec son départ, c'est PLUS de temps que tu vas avoir et pas moins, m'a-t-elle rappelé.

— Je sais, ai-je répondu avec rudesse. Mais son départ signifie aussi que personne ne pourra m'aider à faire mes devoirs en maths. Il va falloir que je trouve un prof particulier. Et aucun prof particulier, à l'inverse de Michael, n'accepterait de venir chez moi à 10 heures du soir le mercredi après une éventuelle réunion de délégués ou un dîner officiel à l'ambassade de Genovia. »

Lilly n'a pas semblé compatir du tout.

« Je n'en reviens pas que tu me fasses ça, a-t-elle déclaré. Tu es encore plus apathique que le reste des élèves de cette école. Tu es pire que les première année.

— Lilly ! me suis-je exclamée. Je suis persuadée que tu peux gagner les élections, et sans mon aide. Surtout si tu es la seule à te présenter.

— Tu sais très bien que je ne remporterais pas 50 % des voix, a-t-elle fait observer en serrant les dents. Pourquoi tu ne te présentes pas et, une fois élue, tu renonces à ton titre, comme tu étais CENSÉE le faire l'année dernière.

— Parce que Michael part dans TROIS JOURS ! ai-je pratiquement hurlé, obligeant Mrs. Hill à lever les yeux de son catalogue d'achats par correspondance. Je veux pouvoir le voir le plus souvent possible avant son départ, ai-je ajouté plus bas. Ce qui signifie que je ne PEUX PAS passer toutes mes soirées à écrire des discours ou à fabriquer des banderoles.

— J'écrirai les discours et je fabriquerai les banderoles, a concédé Lilly en serrant toujours les dents. Mais toi, tu fais vraiment ce que tu m'avais promis l'année dernière : tu me laisses ton poste.

— Bon, d'accord, ai-je lâché, histoire d'avoir la paix. J'accepte.

— Parfait », a déclaré Lilly.

C'est alors qu'une idée lumineuse m'a traversé l'esprit.

« À UNE CONDITION, ai-je dit.

— Quoi ? a fait Lilly.

— Que tu me dises si oui ou non, vous l'avez fait, J-P et toi, cet été. »

Lilly m'a foudroyée du regard. Puis, comme si c'était un ultime sacrifice de sa part, elle a répondu :

« O.K., je te le dirai. APRÈS les élections. »

Ça m'allait.

Je ne sais pas pourquoi ça m'intéresse autant de le savoir. En même temps, si ma meilleure amie a

couché avec un garçon, j'estime que je suis en droit de le savoir. Et en détail ! Surtout quand on pense que je vais être privée de l'odeur du cou de mon petit ami pendant l'année à venir et que je devrais donc la sentir par procuration à travers l'histoire d'amour de Lilly.

Quoiqu'elle m'ait confié qu'elle ne sentait jamais le cou de J-P, et trouve même bizarre que j'aime autant sentir celui de Michael.

Il est tout à fait probable que l'organe vomérien de Lilly – celui qui sert au sens olfactif – ait régressé durant sa gestation comme pour la plupart des humains. Mais pas le mien, en tout cas.

Je vous l'avais dit que j'étais une anomalie biologique.

Mrs. Hill vient de me demander quels étaient mes projets pour sa classe cette année. Je n'ai pas pu faire autrement que lui répondre que j'avais l'intention de m'améliorer en maths vu mes piètres résultats à l'examen. Du coup, elle m'a donné des exercices qu'elle a piochés dans les annales.

Vous savez quoi ? Ces exercices supplémentaires couplés aux récents événements qui se sont produits dans ma vie sont la preuve de la non-existence de Dieu.

Ou alors s'il existe, il est totalement indifférent à ma souffrance.

Jill a acheté cinq pommes chez l'épicier. Elle les a payées avec un billet de cinq dollars et a reçu soixante-quinze cents de monnaie. Comprenant que le commerçant s'est trompé à son avantage, Jill lui rend vingt-cinq cents. Quel est le prix des pommes ?

Qu'est-ce que j'en sais ? De toute façon, les cartes de crédit servent à payer, non ?

O.K., passons au suivant :

Quel est le plus petit nombre entier positif divisible par 2, 3, 4 et 5 ?

C'est ça, oui ! Comme si je le savais.

Suivant :

Le poids des cookies dans une boîte de 100 cookies est de 226,72 grammes. Quel est le poids de trois cookies ?

POURQUOI EST-CE QUE JE DOIS SAVOIR CE GENRE DE CHOSE PUISQUE TOUT CE QUE JE FERAI UN JOUR, C'EST DIRIGER UN PAYS ET QUE J'AURAI DE TOUTE FAÇON MON PROPRE COMPTABLE ? POURQUOI POURQUOI POURQUOI ??? CE N'EST PAS JUSTE !!!!!!!!!

Mercredi 8 septembre, en chimie

Mia, c'est vrai ? Michael part un an à Tsukuba pour travailler à la réalisation d'un robot qu'il a conçu qui pourrait mettre fin à la chirurgie à cœur ouvert ?

Oh, non ! D'après Tina, Kenny est encore amoureux de moi-même après tout ce temps. J'ai eu beau lui dire qu'elle confondait la réalité avec ses romans d'amour à l'eau de rose, elle n'en démord pas. En même temps, elle a peut-être RAISON. Ce qui expliquerait pourquoi Kenny s'intéresse autant au fait que je me retrouve seule ?

Eh oui, Kenny, c'est vrai. Mais on n'a pas cassé pour autant !!!!

Génial ! Tu crois qu'il pourrait me faire engager – à son retour, je veux dire – comme stagiaire ? J'ai toujours été fasciné par les robots. Je suis en train d'ailleurs de bricoler un rotor orbital pour un scalpel robotique. Tu crois qu'il serait d'accord ? Comme on est amis, je me suis dit que...

Ah ! Ce n'est pas moi finalement qu'il veut... Quel soulagement.

Kenny, tu t'y connais en chirurgie robotique ?

Oui, un peu. Est-ce que tu te rends compte qu'on se trouve au seuil de la science robotique ? Des appareils de chirurgie robotique sont déjà installés dans des tas d'hôpitaux dans le monde. Le but ultime du champ robotique est de concevoir un appareil qui fera exactement ce que fait déjà le prototype de Michael. S'il parvient à fabriquer son modèle... eh bien, on peut considérer qu'il s'agira de la plus grande découverte scientifique depuis qu'on a cloné un mouton. Michael sera salué comme un génie, peut-être même plus qu'un génie. Un SAUVEUR.

Eh bien, merci pour toutes ces explications, Kenny. Ne t'inquiète pas, je glisserai un mot de ta part à Michael.

Merci. C'est super sympa de ta part !

Mia ? Ça va ? Tu as à peine mangé, aujourd'hui.

J-P est tellement attentionné ! Je n'en reviens pas qu'il ait remarqué que je n'avais pratiquement pas touché à mon falafel.

Oui, ça va, merci.

Je n'ai pas l'impression que le discours pontifiant de Boris sur les badinages amoureux dans le milieu des musiciens t'ait beaucoup rassurée...

Non, effectivement. C'est juste que... qu'est-ce qu'un génie, pire un sauveur va faire avec MOI ? Je

ne suis que princesse, c'est tout. Tout le monde peut être princesse, il suffit juste d'avoir les bons parents. Ce n'est pas plus dur que de naître en s'appelant Paris Hilton !

Oui mais j'imagine que toi, tu n'as pas oublié de mettre des sous-vêtements ce matin, comme elle !

Tu crois que ça change quelque chose ?

Excuse-moi, je pensais que la situation appelait un peu de légèreté. Mauvais calcul de ma part. Mia, tu es une fille formidable, et tu es plus qu'une simple princesse. Tu sais quoi ? C'est même la plus petite part en toi, en tout cas, ce n'est pas ce qui te définit.

Mais je n'ai RIEN fait. Je veux dire, rien de génial qui resterait gravé à jamais dans l'esprit des gens. Sauf être princesse, ce qui est, comme je viens de te le dire, quelque chose que je n'ai pas FAIT. Je suis juste née.

Tu n'as que seize ans, Mia. Laisse-toi du temps.

Michael a dix-neuf ans, lui, et il va peut-être sauver des milliers de vies *l'année prochaine*. Si je veux faire quelque chose d'important un jour, j'ai intérêt à m'y mettre dès maintenant.

Je croyais que tu écrivais un scénario sur ta vie et que Lilly allait le tourner.

Oui, mais qu'est-ce que j'ai fait dans ma VIE qui donnera du sens à mon scénario ? Je n'ai pas sauvé des centaines de juifs ou je ne suis pas devenue aveugle

avant de me mettre à composer des musiques extraordinaires ?

Tu ne crois pas que prendre pour modèle Oskar Schindler ou Stevie Wonder n'est pas très réaliste ?

Mais ne comprends-tu pas que Michael a des chances de devenir un modèle au même titre qu'eux.

Tu sembles oublier une chose, Mia. Michael t'aime telle que tu es. Alors pourquoi te fais-tu du souci ? Être sympa, drôle ou bien écrire, ça suffit pour être quelqu'un de formidable, tu sais.

Oui, tu as raison. C'est juste qu'il risque de rencontrer des tas de Japonaises super intelligentes et super belles dont il pourrait tomber amoureux.

Il a certainement rencontré des tas d'étudiantes super intelligentes et super belles à Columbia et il n'est pas tombé amoureux d'elles.

C'est vrai. Mais c'est uniquement parce que, bien que super intelligentes, elles ressemblent quand même à Judith Gershner.

Qui est Judith Gershner ?

Une ancienne élève d'Albert-Einstein qui clonait des drosophiles. À un moment, j'ai cru que Michael l'appréciait et… Tu sais quoi ? Tu as raison. Je suis ridicule.

Je n'ai jamais dit que tu étais ridicule, j'ai dit que tu étais trop dure envers toi. Tu es une fille formidable, Mia, et si Michael laissait un jour entendre le contraire, ce qui m'étonnerait, je me ferais un plaisir de le remettre à sa place.

Ha. Merci, mais j'ai Lars pour ça.

Mia, je ne voudrais pas passer pour un rabat-joie, mais si tu veux pouvoir suivre en chimie, tu ferais mieux d'arrêter de passer des petits mots à J-P et d'écouter. Je sais, on partage la même paillasse, mais je ne te réexpliquerai pas le cours si tu commences à prendre du retard.

O.K., Kenny. Désolée. Tu as raison.

Touché !!!!

Arrête, tu vas me faire rire !!!!! J'écoute le cours maintenant.

Principes d'Archimède : le volume d'un solide est égal au volume de l'eau qu'il déplace.

Densités de certains solides et liquides en g/ml

Substance	Densité
essence	0,68
glace	0,92
eau	1,00
sel	2,16
fer	7,86
plomb	11,38
mercure	13,55
or	19,3

Je comprends que la chimie soit importante dans nos vies quotidiennes. Mais franchement. À quoi ça pourra me servir de connaître la densité de l'essence quand je régnerai sur Genovia ?

Mercredi 8 septembre, en maths

Fonction composée = combinaison de 2 fonctions

Une relation est toute collection de points sur la coordonnée *xy*

Fonction constante = ligne horizontale

Une ligne horizontale a une inclinaison de 0

Au secours !!!!!!

Pourquoi ce genre de matière existe ???

Devoirs

Intro à la création littéraire : décrivez une personne que vous connaissez

Anglais : *Franny et Zooey*

Français : continuez *La palpitante soirée*

Chimie : demander à Kenny

Maths : ??????

Mercredi 8 septembre,
dans la limousine en rentrant à la maison après le Ritz

Quand je suis allée retrouver Grand-Mère dans sa suite au Ritz (apparemment, le W n'était pas à son goût puisqu'elle n'y est restée qu'une nuit), j'ai eu un choc en voyant mon père. J'avais complètement oublié qu'il était à New York pour l'Assemblée générale des Nations unies.

Et *il* avait complètement oublié que ce n'est pas une bonne idée de passer voir Grand-Mère avant l'heure de son premier cocktail (son médecin lui a formellement interdit de boire trois Sidecars avant le déjeuner si elle voulait se débarrasser de son angine), car elle est à prendre avec des pincettes.

« Regarde-moi ça ! hurlait-elle en secouant un coussin sous le nez de mon père. La housse n'est pas en lin ! C'est scandaleux ! Ce n'est pas étonnant que Rommel fasse une allergie !

— Rommel est allergique, au lin ou à toute autre matière », lui répondait mon père, d'une voix lasse, au moment où j'entrais.

Quand il m'a vue, il a souri et a dit :

« Bonjour chérie. Je suis content de… *qu'est-ce que tu as fait à tes cheveux ?* »

Vous savez quoi ? Son air atterré ne m'a même pas vexée. Quand votre petit ami vous annonce qu'il part au Japon, vos priorités changent.

« Je les ai fait couper, ai-je répondu, et ça m'est égal si ça ne te plaît pas. Je n'ai plus à m'en occuper, c'est tout ce qui m'importe.

— Oh, a fait mon père. Eh bien, c'est… mignon. Mais que se passe-t-il ?

— Rien. Pourquoi ? ai-je rétorqué.

— Mia, je vois bien que quelque chose ne va pas, a insisté mon père.

— C'est rien, je t'assure », ai-je répété.

De savoir que mes parents ont juste besoin de me regarder pour deviner que quelque chose ne va pas me fait réaliser à quel point je suis bouleversée par le départ de Michael. Bien plus apparemment que je ne le pensais. Parce que J'ESSAIE de le cacher. Je vous le jure ! Et c'est pour Michael que je le fais. Parce que je devrais être heureuse pour lui.

Et je le SUIS.

Sauf tout au fond de moi, où je pleure.

« Tu m'écoutes, Philippe ? a demandé Grand-Mère. Tu sais très bien que Rommel ne dort que sur des coussins en pur lin. »

Papa a lâché un soupir.

« Je te ferai envoyer plusieurs coussins en pur lin du Bergdorf, d'accord ? a-t-il promis à Grand-Mère.

Mia, je sais que quelque chose ne va pas, a-t-il continué en se tournant vers moi. Qu'est-ce que ta mère a encore fait? Elle s'est fait arrêter pendant l'une de ses manifestations contre la guerre? Je lui ai pourtant dit qu'il était temps qu'elle cesse ce genre d'actions.

— Ce n'est pas maman, ai-je répondu en me jetant dans un fauteuil. Ça fait des *années* qu'elle ne manifeste plus.

— C'est une femme très... imprévisible», a déclaré mon père, ce qui était sa façon de dire, aussi gentiment que possible, que maman s'enthousiasme facilement pour beaucoup de choses et est souvent irresponsable. Mais pas quand il s'agit de ses enfants.

« Tu as raison, je ne devrais pas tirer de conclusions trop hâtives. Il ne s'est rien passé avec Frank, dis-moi? Elle s'entend bien avec lui? L'arrivée d'un bébé peut être très stressante pour un couple. Du moins, c'est ce que j'ai entendu dire.»

J'ai roulé des yeux. Mon père veut toujours que je lui raconte comment ça se passe entre maman et Mr. Gianini. Ce qui me fait sourire chaque fois, car en fait je n'ai jamais grand-chose à dire. Bon, d'accord, ils se disputent souvent le matin pour savoir quelle chaîne de télé regarder pendant le petit déjeuner: CNN (Mr. G) ou MTV (maman).

Maman ne supporte pas d'entendre parler politique quand elle boit sa première tasse de café de la journée. Elle préfère *Panique en boîte de nuit*.

« Il n'y a pas que les coussins, Philippe, a repris Grand-Mère. Est-ce que tu sais que les postes de télévision des chambres ne font que soixante centimètres.

— Je croyais que la télévision américaine ne présentait que des programmes violents et grossiers ? a fait remarquer mon père.

— Eh bien, oui, c'est exact, a dit Grand-Mère. À l'exception de Judqe Judy.

— C'est juste… *tout* qui ne va pas, ai-je déclaré en ignorant Grand-Mère, vu que papa l'ignorait aussi. Ça ne fait que deux jours que les cours ont repris et ça ne va déjà pas. Mrs. Martinez m'a mise chez les JUNIORS pour son atelier d'écriture ! Tu imagines ? Je suis en INTRODUCTION à la création littéraire ! Je n'ai pas besoin d'être introduite à la création littéraire : ma vie, *c'est* la création littéraire. Et je ne te parle pas du cours de chimie ou de calcul différentiel. Mais le pire, c'est… c'est Michael. »

Mon père n'a pas paru surpris par cette dernière précision. En fait, il semblait même ravi.

« Mia, je suis désolé de te dire ça, a-t-il commencé, mais je m'en doutais. Michael est à la fac et toi, tu es encore au lycée. Tu es par ailleurs très occupée par tes obligations de princesse et tu passes beaucoup de

temps à Genovia. Tu ne peux pas demander à un garçon dans sa prime jeunesse de t'attendre indéfiniment. C'est naturel que Michael ait rencontré une jeune fille de son âge qui a le temps de faire ce que les étudiants font, des choses qui ne sont tout simplement pas appropriées à une princesse qui se trouve encore au lycée.

—Papa, ai-je fait en clignant des yeux. Michael n'a pas rompu, si c'est à ça que tu penses.

—Ah bon ? s'est-il exclamé, l'air moins ravi. Oh… Qu'est-ce qu'il a *fait* alors ?

—Tu… tu te souviens quand on est rentrés ensemble de Genovia et qu'on a regardé *Le Seigneur des Anneaux* dans l'avion ?

—Oui, a répondu mon père en fronçant les sourcils. Essaies-tu de me dire que Michael est en possession d'un des anneaux ?

—Bien sûr que non ! me suis-je écriée, scandalisée à l'idée qu'il puisse plaisanter en un moment pareil. Il cherche à faire ses preuves auprès du roi elfe, comme Aragorn.

—Qui est ce roi elfe ? a demandé mon père, comme s'il ne le savait pas.

—Mais papa, c'est TOI, le roi elfe ! me suis-je exclamée.

—Ah bon ? a fait mon père en ajustant sa cravate, l'air de nouveau ravi. Mais attends, a-t-il ajouté en ne

souriant plus du tout. Je n'ai pas les oreilles pointues, pourtant ? Si ?

— C'est au sens FIGURÉ, papa ! ai-je pratiquement hurlé. Michael a l'impression qu'il doit faire ses preuves pour avoir le droit de sortir avec moi. Tout comme Aragorn pense devoir obtenir l'assentiment du roi elfe pour être avec Arwen.

— Je vois..., a fait mon père. Mais quel mal y a-t-il à ça ? Et comment compte-t-il s'y prendre ? Obtenir mon assentiment ? Excuse-moi, mais ce n'est pas en conduisant l'armée des morts pour battre les Orcs que je le lui assurerai.

— Michael ne va conduire aucune armée des morts ! ai-je à nouveau hurlé. Il a inventé un robot grâce auquel les chirurgiens pourront opérer sans ouvrir la cage thoracique. »

Mon père a brusquement cessé de sourire.

« C'est vrai ? a-t-il dit sur un ton totalement différent. Michael a fait ça ?

— En fait, il n'a construit que le prototype, ai-je expliqué. Et une firme japonaise l'a invité pour qu'il les aide à en fabriquer un modèle ou quelque chose comme ça. Le problème, c'est que ça va lui prendre UN AN ! Michael part pour Tsukuba pendant UN AN ! Peut-être plus, même !

— Un an ? a répété mon père. Peut-être plus ? C'est très long.

— Oui, c'est très très long, ai-je confirmé. Et pendant qu'il sera à des milliers de kilomètres à fabriquer son robot, moi, je serai coincée dans ce stupide cours d'introduction à la création littéraire ou en chimie, une matière à laquelle je ne comprends rien, ou encore en calcul différentiel, ce qui ne me servira à rien plus tard vu qu'on a des tas de comptables à Genovia qui…

— Doucement, doucement, m'a coupée mon père. Tout le monde doit savoir compter pour être un individu bien équilibré.

— Tu sais ce qui ferait de toi un individu bien équilibré ? Et un philanthrope connu qui se verrait peut-être nommer L'Homme de l'Année par le magazine *Time* ? ai-je lancé. Je vais te le dire : fonder ton propre laboratoire de robotique, ici à New York afin que Michael puisse y construire son robot ! »

Mon père a éclaté de rire.

Ce qui était plutôt sympathique. Sauf que je ne plaisantais pas.

« Je parle sérieusement, papa, ai-je poursuivi. Après tout, pourquoi pas ? En plus, tu as l'argent pour le faire.

— Mia, je n'y connais rien en robotique, a avoué mon père tristement.

— Mais Michael s'y connaît, lui ! l'ai-je aussitôt rassuré. Il pourrait te dire ce dont il a besoin, et toi,

tu pourrais… eh bien… te contenter de payer. Mais tu en tireras toutes sortes d'avantages quand Michael aura construit son robot. Vous serez invités chez *Larry King*, j'en suis sûre. Tu imagines les répercussions pour Genovia ? Cela fera des merveilles pour le tourisme, qui est plutôt déclinant, depuis que le dollar a baissé, pas vrai ?

— Mia, a dit mon père en secouant la tête, c'est hors de question. Je suis très content pour Michael, j'ai toujours su que ce garçon avait de l'avenir. Mais je ne vais pas dépenser des milliers de dollars dans un laboratoire de robotique pour que tu rates ton année scolaire parce que tu l'auras passée à marivauder avec ton petit copain au lieu de travailler en maths.

— On ne dit plus marivauder depuis longtemps, papa, ai-je fait observer.

— Excusez-moi, est intervenue Grand-Mère. Je suis désolée d'interrompre cette importante discussion sur CE GARÇON, mais je me demande si l'un de vous a remarqué quelque chose dans cette chambre. Quelque chose qui MANQUE. »

On a regardé autour de nous, papa et moi. La suite de cent quarante mètres carrés qu'occupait Grand-Mère au dernier étage du Ritz comptait deux chambres, deux salles de bains – avec dans chacune une baignoire en marbre et une douche séparée, deux télés à écran plat, des produits de soin, de bain et de

maquillage de chez Frédéric Fekkai, un kit d'épilation de chez Floris et des bougies Frette –, un salon, une salle à manger où l'on pouvait recevoir huit personnes, un boudoir, une bibliothèque privée, un lecteur de DVD, une chaîne hi-fi, des DVD et des CD, un téléphone sans fil équipé d'une boîte vocale et d'une connexion Internet à haut débit, un télescope pour regarder les étoiles ou chez Woody Allen, de l'autre côté du parc.

Bref, rien ne semblait manquer.

« Un cendrier ! a hurlé Grand-Mère. C'EST UNE SUITE NON FUMEUR !!!! »

Papa a levé les yeux au ciel, puis il a lâché un soupir et a dit :

« Mia, si Michael, comme tu viens de me l'expliquer, a l'intention de prouver qu'il est digne de toi, jamais il n'accepterait mon aide. J'ai bien peur que tu ne sois obligée d'être séparée de lui pendant un an. En même temps, t'atteler à ton travail scolaire et te concentrer exclusivement à tes études n'est pas une si mauvaise chose que ça. Mère, a-t-il poursuivi en se tournant vers Grand-Mère. Tu es impossible, mais tu as gagné : je te trouverai une suite dans un autre hôtel. Donne-moi juste le temps de passer quelques coups de fil », a-t-il ajouté avant de se diriger vers la salle à manger.

L'air très contente d'elle, Grand-Mère a ouvert son sac, a sorti la clé de sa suite et l'a posée sur la table basse, devant moi.

« C'est scandaleux ! a-t-elle dit. Je crois que je vais de nouveau déménager. »

J'ai serré les poings tellement elle me rendait folle et j'ai rétorqué :

« Grand-Mère, est-ce que tu sais qu'il y a des gens qui dorment dans des TENTES et des ROULOTTES à cause des tornades, des tsunamis et des tremblements de terre qui ont détruit leurs maisons ? Et tu oses te plaindre que tu ne peux pas FUMER dans ta chambre ? Cette suite est très bien, elle est très belle, en tout cas, elle est aussi belle que celle que tu occupais au Plaza. Tu es ridicule. Et je sais pourquoi tu réagis comme ça : parce que tu n'aimes pas le changement !

— C'est vrai, a reconnu Grand-Mère avec un soupir tout en s'asseyant dans un des fauteuils qui faisaient face au canapé sur lequel je me trouvais. Mais je pense que ma folie pourrait te rendre service.

— Hum hum », ai-je marmonné.

En fait, je ne l'écoutais que d'une oreille. Je n'en revenais pas que mon père n'ait pas été plus emballé par cette histoire de laboratoire de robotique. C'était une bonne idée, pourtant, non ? J'étais persuadée qu'il aurait foncé. Il n'arrête pas de faire agrandir l'hôpital de Genovia et chaque nouveau service porte

son nom. Personnellement, je trouvais que le Laboratoire de Robotique du prince Philippe Renaldo, ça faisait bien.

« La suite est payée jusqu'à la fin de la semaine, a continué Grand-Mère en poussant la clé qu'elle avait posée sur la table dans ma direction. Je ne resterai pas, bien sûr. Mais il n'y a aucune raison pour que toi, tu n'en profites pas. Si tu en as envie, évidemment.

— Qu'est-ce que tu veux que je fasse d'une suite au Ritz, Grand-Mère ? ai-je demandé. Ça t'a peut-être échappé vu que tu ne te préoccupes que de *ta* souffrance, mais c'est hors de question que j'organise une pyjama-partie cette semaine. Je suis en train de vivre une crise majeure. »

Grand-Mère m'a scrutée du regard et a dit :

« Parfois, j'ai du mal à croire qu'on est de la même famille.

— Moi aussi, ai-je fait observer.

— Quoi qu'il en soit, la suite est à toi, a-t-elle déclaré. Fais-en ce que tu veux. Personnellement, si je vivais encore avec mes parents et que l'amour de ma vie partait pendant un an pour prouver à MON père qu'il est digne de moi, j'utiliserais cette suite pour lui offrir une soirée d'adieu *très* privée et *très* romantique. Mais c'est mon point de vue, bien sûr. J'ai toujours été une femme passionnée, à l'écoute de mes émotions. C'est vrai que j'ai remarqué… »

Et bla bla bla, et bla bla bla. Grand-Mère a continué comme ça pendant un petit moment. Papa est revenu et lui a annoncé qu'il lui avait trouvé une suite au Four Seasons. Du coup, elle a appelé sa femme de chambre pour qu'elle fasse ses valises pour la troisième fois de la semaine.

Ma leçon de princesse de la journée était finie. Et quelle leçon !

Heureusement qu'elles sont gratuites, car la qualité a sacrément baissé ces derniers temps.

Je me demande si je n'ai pas des hallucinations en ce moment. Peut-être que je souffre de déshydratation. En tout cas, j'en ai tous les symptômes :

soif intense
bouche sèche avec absence de salive
yeux secs avec absence de larmes
urine peu abondante (3 fois voire moins en 24 h)
bras et jambes froids au toucher
sensation de fatigue, d'agitation, d'irritabilité
vertiges qui s'atténuent en position allongée.

En même temps, chaque fois que je suis avec Grand-Mère, j'éprouve ces mêmes sensations. Mais bon. Je vais boire la bouteille d'eau qui se trouve dans le frigo de la limousine. On ne sait jamais.

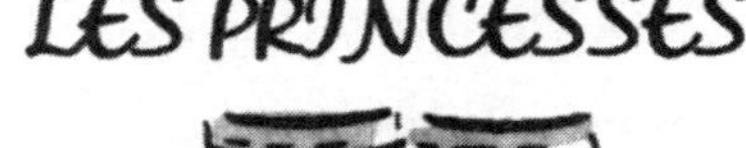

EN ACTION

Note de Son Altesse Royale, la Princesse Mia

Bien que je ne sois pas vraiment une référence en matière de comportement royal, je peux attester avec certitude qu'il y a eu, et qu'il y a encore, des princesses qui sortent du lot et dont les histoires méritent d'être racontées.
Beaucoup de personnes pensent que les princesses ne sont bonnes qu'à se piquer le doigt comme la Belle au bois dormant ou à exhiber la dernière création d'un nouveau styliste. C'est complètement faux! Il existe un grand nombre de princesses qui ont régné de façon juste et sage, faisant de bien meilleurs dirigeants que leurs pères, frères ou maris, hommes pourtant modérés.
Et, dans sa volonté d'offrir à son peuple un gouvernement convenable, bien plus d'une a osé tenir une épée ou un pistolet laser pour s'assurer que les choses tourneraient comme elle le voulait. Ce sont des princesses comme elles qui me permettent d'accepter le sang royal qui coule dans mes veines. Maintenant, si seulement je pouvais convaincre mon père de me laisser avoir un lance-flammes...

Boadicée

Par Michael Moscovitz, petit-ami/prince consort de la Princesse Mia Thermopolis

[avec les commentaires de la Princesse Mia]

Les choses étaient délicates en 61 après Jésus-Christ. Les Romains dirigeaient le monde mais n'étaient pas pour autant très populaires. En Grande-Bretagne notamment, ils le furent encore moins lorsqu'ils refusèrent, à la mort de Prasutagus, le Roi des Icéniens, de laisser sa femme Boadicée et ses filles, les Princesses Camorra et Tosca, hériter de toute sa richesse et de son royaume. Tout ça sous prétexte que Rome ne reconnaissait pas la loi celtique qui autorise une femme à héritier !

Grossière erreur. Quand les Romains de Grande-Bretagne essayèrent de s'emparer de la propriété des Icéniens, Boadicée et ses filles rejoignirent une autre tribu celtique et, ensemble, ils marchèrent sur Londres, brûlant toute la ville et tuant vingt mille soldats romains sur leur chemin.

Lorsque les Romains reçurent finalement assez de renforts pour battre Boadicée, son armée comprenait 80 000 hommes. Boadicée choisit de s'empoisonner plutôt que d'admettre la défaite. Depuis ce jour, il existe beaucoup de monuments qui célèbrent sa bravoure en Grande-Bretagne. On peut voir une représentation moderne de son célèbre chariot de guerre (qui défie les

gadgets tels que l'Aston Martin de James Bond…) sur le pont de Westminster. Une légende dit que Boadicée fut brûlée sur ce qui est maintenant la Plateforme 10 de la gare de King's Cross.

[Je ne pense pas que je m'empoisonnerais si Monaco essayait de s'approprier Genovia. Je crois que, au lieu de faire la guerre, j'essaierais de trouver des solutions pacifiques pour résoudre le problème. En revanche, l'idée d'utiliser un chariot de guerre me plaît assez… Je pourrais peut-être l'utiliser pour le prochain rallye, à l'école…]

Le conseil de Michael pour faire une bonne princesse :

Comme Boadicée, ne te laisse pas faire et n'accepte pas qu'on s'en prenne aux élèves qui ne sont pas populaires dans ton école. Prends position, défends-les ! Non seulement tu te feras de nouveaux amis, mais en plus tu pourrais te retrouver élue à la tête d'un syndicat étudiant.

Matilda

Matilda est sans doute la moins connue des monarques anglais. Impératrice d'Allemagne, elle a régné sur l'Angleterre en vraie Domina, ou plutôt comme une vraie Lady, pendant six mois, en 1141. Suite à un désaccord avec son cousin Stephen au sujet de l'héritage du trône, une guerre explosa : la moitié de l'Europe soutenait Matilda, l'autre s'était alliée à son cousin. Cette guerre royale fut si cruelle que les gens disaient que les saints et les anges devaient dormir, sinon ils auraient levé le petit doigt pour mettre fin à ce carnage.

Quand Stephen finit par capturer sa cousine et l'enferma dans le château d'Oxford, Matilda ne se soumit pas docilement. Elle attendit la tombée de la nuit pour descendre par l'une des fenêtres du château à l'aide d'une corde, et s'enfuir en traversant la rivière Isis qui était gelée. Toute de blanc vêtue, elle était difficile à apercevoir car ses habits se confondaient avec la neige. Stephen gagna la guerre et régna sur l'Angleterre pendant plus d'une douzaine d'années, mais c'est Matilda qui eut le dernier mot, en lui survivant pendant plus de dix ans.

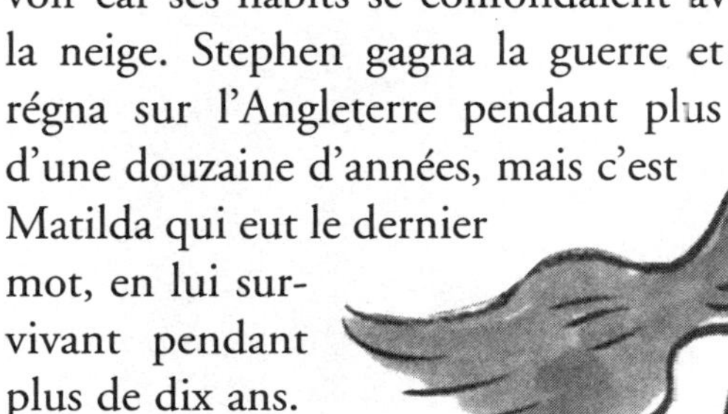

[Si mon vaurien de cousin, le Prince René, essayait de me piquer le trône de Genovia, je jure que, moi non plus, je ne le laisserais pas faire ! D'un côté, je n'aimerais pas voir Genovia ravagée par une guerre civile, comme ce fut le cas à La Nouvelle-Orléans. Mais d'un autre côté, mon cousin n'a absolument aucune notion des affaires maritimes portuaires.]

Le conseil de Mia pour faire une bonne princesse :

Suis l'exemple de Matilda. Mettre des vêtements blancs peut égayer ton teint (demande conseil à Judge Judy). Passe rapidement un pull blanc à col montant ou mets une écharpe blanche, puis rassieds-toi et attends les compliments.

Xéna, la princesse guerrière

L'histoire de Xéna est triste et compliquée. Elle commença par être un seigneur de guerre qui tuait tous ceux qui se trouvaient sur son chemin et entravaient sa conquête du monde. Finalement, elle se rendit compte qu'elle s'était engagée sur une mauvaise voie, mais entretemps elle avait propagé la terreur dans le pays. Tout le monde tremblait dès qu'on prononçait son prénom (un peu comme le fait Pavlov quand il entend la voix de ma sœur, Lilly, mais pour d'autres raisons...).*

Cependant, Xéna regrettait vraiment les actes barbares auxquels elle s'était livrée (contrairement à ma sœur) et elle s'assagit, commençant à lutter pour les droits des plus démunis, triomphant de ceux qui s'en prenaient aux plus faibles, et utilisant parfois des techniques de combat redoutables empruntées aux arts martiaux. Xéna et son acolyte, Gabrielle, chevauchaient à travers les contrées, très légèrement vêtues, à la recherche d'injustices à réparer. Quel dommage que cette série ne passe plus à la télé!

[*Lilly insiste pour dire qu'elle regrette vraiment ce qu'elle a fait à Pavlov. J'étais avec elle ce jour-là et je peux témoigner : elle a entièrement équipé le protégé de Michael d'un casque de football en plastique à l'effigie de notre chère Reine avant de le mettre dans un sac et de le faire tourner au-dessus de sa tête plusieurs fois de suite. Quand j'ai vu ce qu'elle faisait, je lui ai demandé d'arrêter. Elle m'a juré que ce n'était qu'une expérience pour tester les lois de la gravité. Quand j'ai retiré Pavlov du sac, il avait l'air d'aller bien… Il a juste eu besoin de quelques minutes pour se remettre et pour que la chambre cesse de tourner…]

Le conseil de Michael pour faire une bonne princesse :

Comme Xéna, fais quelque chose de bon pour ta meilleure amie, ou pour ton prince consort. Par exemple, accepter d'aller voir une mauvaise comédie romantique qu'elle rêve d'aller voir, au lieu d'insister pour voir le film d'action qui te fait envie. Elle t'appréciera d'autant plus, et tu te sentiras envahie par un sentiment enivrant d'altruisme.

Pocahontas

Pocahontas n'a peut-être pas eu un adorable raton laveur comme animal de compagnie dans sa vraie vie, comme c'est le cas dans le film de Disney, mais elle était bien une princesse. Elle a rencontré un homme prénommé John, exactement comme dans le film, sauf qu'elle ne s'est pas jetée devant lui pour le sauver du courroux des Powhatans. C'était le capitaine John Smith. La vraie Pocahontas s'est mariée à un autre John nommé Rolfe. Il lui a appris à parler anglais, et en échange elle lui a appris sa langue maternelle. Finalement, elle est partie vivre avec lui en Angleterre, où elle est devenue très populaire et où on l'a traitée comme une invitée d'honneur, à l'image de son rang.

Et ce jusqu'au jour où elle a attrapé la petite vérole. Elle en est morte à vingt-deux ans.

[Waou ! Ce détail n'apparaît pas non plus dans le film ! Quel dommage !]

Le conseil de Michael pour faire une bonne princesse :

Comme Pocahontas, apprends une autre langue ! Cela pourrait t'être utile si tu devais un jour rencontrer des représentants internationaux pour négocier une paix. Et si ça n'arrive jamais, au pire, ça serait bien vu par tes profs !

Wonder Woman

La Princesse Diana de l'Île du Paradis fut élevée par sa mère, Hippolyta, reine des Amazones, à un endroit où on célébrait les victoires guerrières. Pendant la Seconde Guerre mondiale, l'avion de Steve Trevor fut abattu en plein ciel, et son corps, inconscient, fut rejeté sur les rivages vierges de l'Île du Paradis. La Princesse Diana tomba immédiatement sous son charme, si bien que lorsque Steve se fut remis de ses blessures, elle proposa de le présenter à son peuple.

Afin de prévenir sa fille contre les dangers auxquels elle allait s'exposer dans le monde des hommes, Hippolyta donna à Diana un lasso en or qui avait comme pouvoir d'obliger toute personne à dire la vérité, et lui prêta aussi le jet royal invisible. (Ne me demandez pas comment une île habitée par des amazones qui n'ont jamais eu de contacts avec le monde extérieur a pu développer une telle technologie capable de rendre invisible un jet…)

Parée de ces atouts et d'une paire de bracelets avec lesquels elle pouvait tirer des balles, la jeune princesse amazone se dirigea vers Washington D.C., emmenant avec elle un Steve très affaibli. Diana fut consternée par le nombre de personnes diaboliques qu'elle trouva là-bas, et pas seulement par les nazis. Elle promit à Steve de rester à ses côtés pour le protéger de son mieux contre ceux qui essayaient de le tuer, c'est-à-dire beaucoup de monde. Comme la Lois Lane de Superman, Steve était loin d'imaginer que Diana, cette secrétaire imperturbable, et Wonder Woman, la princesse amazone qui attrapait les cambrioleurs de banques de Washington, n'étaient qu'une seule et même personne.

[Comme Diana, moi, je serais capable de partir longtemps pour être sûre que mon homme ne subisse pas le fléau nazi… même si je devais abandonner mon pays natal et parcourir la capitale de notre pays dans un petit maillot de bain orné d'ailes d'aigle dorées. Je ferais volontiers un tel sacrifice, si cela pouvait aider mon chéri !]

Le conseil de Mia
pour faire une bonne princesse :

Comme Wonder Woman, porte fièrement ton maillot de bain. Tiens-toi droite, n'essaie pas de passer inaperçue, peu importe la taille de tes cuisses, ou celle de tes seins. Personne ne peut paraître beau sur une plage s'il n'a pas l'accessoire le plus important de tous : la confiance en soi !

Princesse Leia

Leia Organa, la fille adoptive de Bail Organa, le vice-roi de la planète condamnée d'Alderaan, a eu un arbre généalogique compliqué, certains diraient même emberlificoté. Sa mère généalogique (voir page suivante) sépara Leia de son frère jumeau alors qu'ils étaient encore tout petits et éleva elle-même Leia jusqu'à sa mort.

Leia était un leader né, elle devint sénateur très jeune, luttant pour aider son peuple qui était opprimé par le gouvernement impérial. Membre actif de la rébellion contre l'empereur de la galaxie Palpatine, Leia ne s'attendait pas à être capturée et faite prisonnière politique par un homme dont elle apprendra plus tard qu'il était son propre père… ou bien à être sauvée par un homme qui se révélerait plus tard être son propre frère. Elle ne pensait sûrement pas non plus qu'elle tomberait amoureuse d'un contrebandier au cœur d'or et que, plus tard, elle serait obligée de porter une tenue d'esclave tout en portant des boissons pour ce même contrebandier et ennemi mortel, Jabba le Hutt…

[Je dois absolument couper Michael ici. Sinon, il pourrait écrire encore des dizaines de pages sur Leia ! Qui pensait qu'il y avait autant à dire sur elle ?]

Le conseil de Mia pour faire une bonne princesse :

Comme Leia, ose de nouveaux styles de coiffures ! Tu ne peux pas savoir ce qui te va si tu n'essaies pas plusieurs styles différents. Qui sait ? Peut-être que ta vraie personnalité s'exprimera mieux avec deux petites boules de chaque côté de la tête ! Même si tu te rases complètement la tête, ou si tu te teins en rose, pas d'inquiétude : ce qui est super avec les cheveux, c'est qu'ils repoussent !

La Reine Amidala, ou Padmé, la mère de la Princesse Leia

Également connue sous le nom de Padmé Naberrie, Amidala fut élue reine de sa planète à l'âge de quatorze ans. D'aucuns diront peut-être qu'il n'est pas très prudent de la part des habitants d'avoir élu une si jeune reine. À ceux-là, je réponds... : vous ne l'avez pas vue dans *La Guerre des clones* ? Elle était vraiment terrible dans son pantalon blanc ! En fait, ce que je voulais dire, c'est que la Reine Amidala a mené à terme son mandat pour devenir sénateur par la suite, et représenter fidèlement et sagement son peuple, jusqu'à ce que cet Hayden Christensen arrive et sème la pagaille.

[Je me devais d'interrompre Michael une fois de plus ! Il devenait fou... comme pour Buffy la tueuse de vampires, mais en pire.]

Le conseil de Mia pour faire une bonne princesse :

Comme Padmé, ne t'habille pas n'importe comment juste parce que c'est à la mode et que tout le monde le fait. Trouve ce qui te va le mieux, que ça soit large et bouffant, ou bien sportif et moulant. Ne te laisse pas influencer par la majorité à propos de tes goûts. Opte pour le style dans lequel tu te sens le mieux.

Princesse Amelia Mignonette Grimaldi Thermopolis Renaldo

Mia Thermopolis, connue sous le nom d'Amelia Renaldo, n'est devenue princesse de sa ville natale de Genovia que très récemment. Cependant, elle a déjà fait de grands progrès dans le domaine social ainsi que concernant les problèmes qui touchent cette petite nation, parmi lesquels la paralysie due au manque de places de parking (solutionné par l'augmentation du nombre de parcmètres). Mia a aussi contribué à assainir le port de Genovia et à diminuer de 60 % le problème des sacs plastiques ingérés par les éléphants de mer.

Mia continue également de se montrer prometteuse dans un secteur qui pourtant lui cause bien des problèmes : l'algèbre.

Elle est amusante et élégante et, bien qu'elle ne soit pas nécessairement d'accord, elle est aussi vraiment superbe, et elle a de la classe, qu'elle porte une blouse ou une robe de bal. De plus, sa gentillesse et sa générosité envers les autres n'ont aucune limite. C'est pour ça que je l'aime.

[!!!!!!!!!!!! Je jure que je ne lui ai jamais dit d'écrire ça ! MM + MT = AMOUR ETERNEL!!!!!!!!!]

Le conseil de Mia
pour faire une bonne princesse :

Comme Mia, range ta chambre et ne fume pas, essaie de marcher le plus possible, de faire du vélo, ou de prendre les transports en commun au lieu de participer au gaspillage de nos ressources naturelles. Et crache toujours ton chewing-gum dans la poubelle la plus proche. Si tu le jetais par terre, des oiseaux pourraient être attirés par sa couleur, et ils pourraient le manger... Ça leur collerait le bec et ils mourraient de faim !

Mercredi 8 septembre, à la maison.

Michael veut m'emmener dans des tas d'endroits typiquement new-yorkais avant son départ. Du coup, ce soir, on mange au Corner Bistro, dans West Village. D'après Michael, c'est là qu'on sert les meilleurs hamburgers de toute la ville, en dehors de Johnny Rockets.

Sauf que Michael refuse d'aller chez Johnny Rockets. Il ne croit pas aux chaînes alimentaires car elles contribuent, dit-il, à l'homogénéisation de l'Amérique, et que plus elles se développent, plus les restaurants, les petites entreprises et les communautés perdent de leur unicité. Michael pense qu'à ce rythme l'Amérique va finir par devenir un énorme centre commercial qui ne proposera que des Wal-Marts, des McDonald, des Jiffy Libe et des Appelbee au lieu d'être ce melting-pot que notre pays était au départ.

Comme je suis végétarienne, je ne peux évidemment pas le suivre dans sa quête du meilleur hamburger avant de partir pour l'Extrême-Orient. Je ne prendrai donc qu'une salade. Et des frites.

Maman est cool de me laisser sortir un soir d'école. Elle sait que c'est la dernière semaine de Michael dans le même continent que moi. Et quand Mr. G a essayé de dire quelque chose sur mes devoirs

en maths – à tous les coups, Mrs. Hong et lui se sont parlé dans la salle des profs –, maman l'a foudroyé du regard et il n'a pas insisté. Comme j'ai de la chance d'avoir une mère et un beau-père aussi compréhensifs !

Ce qui n'est pas le cas de mon père. Quand je pense qu'il a rejeté mon idée de laboratoire de robotique. Il va le regretter, à mon avis. Mais je ne vais pas en parler à Michael. Je ne suis même pas sûre qu'il aurait accepté d'y travailler, si mon père AVAIT dit oui, étant donné qu'il tient quand même à s'éloigner de moi puisque je me refuse toujours à lui.

Et je ne vais CERTAINEMENT pas lui parler de la chambre d'hôtel que Grand-Mère me laisse. Si Michael découvre que j'ai une suite au Ritz à ma disposition, il voudra…

AU SECOURS !!!!!!!!

Mercredi 8 septembre, au Corner Bistro

Il faut que je me dépêche d'écrire pendant que Michael est allé chercher d'autres serviettes. Je ne sais pas où notre serveuse a disparu. C'est un vrai zoo, ici. L'adresse du Corner Bistro doit figurer dans un guide sur New York ! Ce n'est pas possible autrement. Je n'ai jamais vu autant de monde qui se précipite pour

manger un hamburger. Un autocar à impériale vient de déverser une centaine de touristes dans le restaurant.

Pour en revenir à ce qui nous intéresse, quand Michael est passé me prendre à la maison tout à l'heure, j'ai brusquement compris les intentions de Grand-Mère lorsqu'elle m'a donné la clé de sa suite. *J'utiliserais cette suite pour lui offrir une soirée d'adieu très privée et très romantique*. Grand-Mère devait vouloir dire ce que je pense qu'elle voulait dire : elle m'a donné sa clé pour que…

JE COUCHE AVEC MICHAEL !!!!!!

Je parle très sérieusement ! Elle m'a donné sa clé pour que je puisse dire « au revoir » à Michael et qu'on profite d'une intimité qu'on n'aurait nulle part ailleurs.

En d'autres termes, MA GRAND-MÈRE M'OFFRE LA CLÉ DE LA CHAMBRE OÙ PERDRE MA VIRGINITÉ !!!!!!!

Je sais, ça paraît incroyable, pourtant, c'est la vérité. Il n'y a pas d'autre explication. Grand-Mère me propose de coucher avec Michael la veille de son départ pour le Japon.

Mais pourquoi ma propre Grand-Mère *m'encouragerait* à faire don de mon petit capital alors que je ne suis pas encore majeure ? Les grands-mères sont censées être vieux jeu et vouloir que leurs petites-filles

attendent le mariage avant de le consommer. Les grands-mères ne sont pas pour que leurs petites-filles voient le loup trop tôt. Ce que toutes les grands-mères disent, c'est : « Il ne va pas acheter la vache s'il peut avoir le lait gratuitement. » Les grands-mères sont censées vouloir ce qu'il y a de mieux pour la progéniture de leur progéniture.

Est-ce que Grand-Mère pense vraiment que dire sexuellement au revoir à Michael dans sa suite du Ritz est ce qu'il y a de mieux pour moi ?

Et si…

Et si…

GRAND-MÈRE ESSAYAIT DE M'AIDER À EMPÊCHER MICHAEL D'ALLER AU JAPON ????

Sérieux. Car quel garçon, qui aurait le choix entre coucher ou ne pas coucher choisirait ne pas coucher ? Après tout, Michael part essentiellement au Japon parce qu'on ne couche pas ensemble.

Bon, d'accord. Il part aussi pour sauver des milliers de vies et gagner des milliers de dollars qui lui permettront de prouver à ma famille et à *Us Weekly* qu'il est digne de moi.

Mais s'il savait qu'il avait une chance de coucher avec moi, est-ce qu'il ne… resterait pas ?

Je sais, c'est FOU.

Mais c'est tellement fou que ça pourrait marcher.

Non. NON!!!!!! Comment ai-je pu écrire ça!!!! C'est affreux!!!!!!

C'est mal de se servir du sexe pour manipuler quelqu'un. Ça va à l'encontre des principes féministes. Mais à quoi donc Grand-Mère pensait-elle?

En même temps, Grand-Mère n'a AUCUN principe féministe. Enfin, si, elle en a, mais elle ne les applique pas de la même manière.

En plus, j'étais censée attendre le soir du bal clôturant la fin de mes études secondaires pour le faire! Je l'ai promis à Tina. On s'est promis toutes les deux d'attendre ce moment-là pour offrir notre petit capital. Mais c'était avant. Avant que Michael ne se mette en tête de construire ce fichu robot.

Je suis sûre que Tina comprendrait.

Une minute. De quoi je parle, là? Non! Non! C'est horrible! Jamais je ne pourrais faire ça! Priver le monde du robot que Michael veut construire! Je ne peux pas faire une chose pareille! Je suis une PRINCESSE, bon sang!

Mais si – je dis bien *si* – Michael et moi, on le faisait dans la suite du Ritz que Grand-Mère m'a laissée et il aimait tellement ça qu'il décidait de ne plus partir? Est-ce que cela ne vaudrait pas le coup de compromettre mes principes féministes? Est-ce que ce ne serait pas, en fait, PLUS féministe, car en gardant Michael près de moi, je pourrais sentir l'odeur

de son cou, ce qui libérerait régulièrement de la sérotonine dans mon cerveau, faisant de moi un être plus calme et plus équilibré, donc une lycéenne plus sérieuse dans ses études et un modèle pour les jeunes filles dans le monde entier ?

Attention ! Michael revient avec les serviettes en papier. À tout à l'heure !

Mercredi 8 septembre, 11 heures du soir, à la maison

Voilà, je suis rentrée. C'était très sympa. On a bien mangé. On a même pris le dessert chez Magnolia Bakery, où ils servent de délicieux petits gâteaux.

Et puis, quand Michael m'a raccompagnée à la maison, on s'est passionnément embrassés pendant une demi-heure au moins dans le hall de l'immeuble pendant que Lars faisait semblant de mettre de l'argent dans l'horodateur, même si la limousine a une plaque diplomatique et qu'on n'a jamais d'amende.

Je ne crois pas que le niveau très élevé de sérotonine qui circule dans mon cerveau en ce moment, dû à toutes ces minutes passées à m'enivrer de l'odeur du cou de Michael y soit pour quelque chose (sans parler de l'ocytocine, une hormone qui envahit le cerveau dans des moments d'intense plaisir sexuel, ce qui explique pourquoi, au cours d'éducation

sexuelle, on nous a déconseillé de le faire avec quelqu'un qu'on ne connaît pas très bien car l'ocytocine peut voiler notre jugement et nous faire penser qu'on est super amoureux alors qu'en réalité, ce n'est que l'action de l'ocytocine et qu'on n'a rien en commun avec la personne ou même qu'on ne l'apprécie pas. À mon avis, c'est à cause de l'ocytocine que Grand-Père a épousé Grand-Mère.)

Bref, je ne pense pas que ce soit à cause de la sérotonine ou de l'ocytocine. Je crois plutôt que je suis prête, c'est tout. Prête à offrir mon petit capital. Prête pour le « Grand Soir ».

Et c'est sans doute pour ça que j'ai dit à Michael, au moment où il s'apprêtait à rentrer chez lui :

« Ne prévois rien pour demain soir. Je voudrais te faire une surprise.

— C'est quoi ? a-t-il demandé.

— Si je te le dis, ça ne sera plus une surprise, non ? » ai-je répondu.

Michael a souri en hochant la tête, puis il m'a embrassée une nouvelle fois avant de me souhaiter une bonne nuit et de partir.

Pour être surpris, ça, il va l'être.

Je sais bien que légalement, je n'ai pas le droit de coucher avec Michael, puisque l'âge nubile légal dans l'État de New York est de dix-sept ans et que je n'ai que seize ans. Et j'ai conscience que faire l'amour avec

mon petit copain deux ans avant la date que j'avais initialement prévue parce que je ne veux pas qu'il parte au Japon et que je pense qu'il est très probable qu'il ne partira pas s'il sait qu'il peut coucher avec moi quand il le souhaite, c'est de la manipulation et c'est aller à l'encontre des principes féministes.

Mais…

JE M'EN FICHE.

Je ne PEUX PAS laisser Michael partir. C'est aussi simple que ça. Je suis désolée pour tous les patients qui vont se faire opérer à cœur ouvert et qui risquent de souffrir à cause de ma décision.

C'est vrai, c'est très égoïste de ma part.

Mais parfois, une fille doit se montrer égoïste pour rester saine d'esprit dans un monde où toutes les valeurs sont chamboulées, où à un moment vous mangez des nouilles froides au sésame et l'instant d'après votre petit ami vous annonce qu'il part au Japon.

Mon Dieu ! Je n'en reviens pas que j'envisage de faire une chose pareille.

Est-ce que c'est bien ?

EST-CE QUE C'EST BIEN ??

Comme d'habitude, me poser ce genre de questions dans mon journal ne résout rien.

Je me demande même pourquoi je prends la peine de me les poser.

MOI, UNE PRINCESSE ? À D'AUTRES !
Scénario écrit par
Mia Thermopolis
(première mouture)

Scène 16

INT/JOUR

La suite du Plaza. Une femme à l'air effrayant et aux paupières tatouées (CLARISSE, la PRINCESSE DOUAIRIÈRE DE GENOVIA) foudroie du regard MIA, qui se recroqueville sur un fauteuil devant elle. Un caniche sans poils (ROMMEL) tremble à ses pieds.

CLARISSE, LA PRINCESSE DOUAIRIÈRE
Voyons à présent si j'ai bien tout compris.
Ton père t'a annoncé que tu étais la princesse
de Genovia et tu as éclaté en sanglots. Pourquoi ?

MIA
Je ne veux pas être princesse,
je veux juste être moi, Mia.

CLARISSE, LA PRINCESSE DOUAIRIÈRE
Tiens-toi droite et ne remonte pas tes jambes
sous ton menton. Tu n'es plus Mia, tu es Amelia.

Essaies-tu de me dire que tu ne désires
pas assumer ta place sur le trône ?

MIA

Grand-Mère, tu sais aussi bien que moi
que je n'ai pas l'étoffe d'une princesse.
Alors pourquoi perds-tu ton temps avec moi ?

CLARISSE, LA PRINCESSE DOUAIRIÈRE

Car tu es l'héritière de la couronne de Genovia.
Et que tu prendras la place de mon fils sur le trône
à sa mort. C'est comme ça et pas autrement.

MIA

O.K., Grand-Mère. Mais j'ai des tonnes de devoirs
à faire pour l'école. Est-ce que cette leçon
de princesse va durer longtemps ?

Jeudi 9 septembre, en perm

Je vais le faire, c'est décidé. Ce soir. J'y ai réfléchi toute la nuit. C'est la seule solution.

Je sais, c'est super égoïste de priver d'une lueur d'espoir tous les malades du cœur que Michael pourrait aider grâce à son invention.

Mais… tant pis pour eux. Après tout, des tas de gens ont subi des opérations à cœur ouvert et s'en

sont très bien sortis. David Letterman, par exemple, ou Bill Clinton. Les gens vont devoir faire avec. Et puis, s'ils mangeaient un peu moins de viande, ils n'auraient pas BESOIN de se faire opérer à cœur ouvert.

Mon dieu ! Est-ce que je viens d'écrire ÇA ? Ce n'est pas possible. QUE M'ARRIVE-T-IL ? Serais-je en train de me transformer en une de ces militantes végétariennes pour qui le projet Heifer (qui propose de donner des vaches et des chèvres aux veuves dans la misère pour qu'elles puissent en tirer un revenu en vendant le lait afin de nourrir leurs enfants) est une mauvaise chose car il asservit les animaux.

Je ne me reconnais plus. C'est à se demander si je n'ai pas perdu la tête. J'ai même vérifié ce matin que j'avais toujours les préservatifs qu'on avait dû acheter pour le cours d'éducation sexuelle. Je me souviens que je les avais choisis en fonction de la couleur. Il faut dire qu'il y en avait TELLEMENT ! Et j'ai découvert, en regardant leur date de péremption – c'est bon, on peut encore les utiliser – qu'en plus d'être colorés, ils étaient PARFUMÉS ! J'en ai pris deux : un à la fraise et un à la pina colada. Ils sont au fond de mon sac.

Dire que je suis prête à sacrifier ma virginité pour que l'amour de ma vie reste sur le même continent que moi. Mais au fait… je viens de penser à quelque

chose : il est tout à fait possible qu'au cours de l'acte, je me retrouve à LE toucher.

Eh bien, vous savez quoi ?

Pour la première fois, cette perspective ne me donne pas de haut-le-cœur.

Je dois avoir mûri.

Jeudi 9 septembre,
pendant le cours sur l'Intro à la création littéraire

Décrivez une personne de votre connaissance :

Ses cheveux, à première vue, paraissent noirs, mais à bien y regarder, ils ont des reflets châtains et dorés. Il les a longs pour un garçon, non pas parce que c'est « à la mode », mais parce qu'il est trop occupé par toutes sortes de choses qui le passionnent pour aller chez le coiffeur régulièrement. Ses yeux, au premier abord, semblent également noirs, mais ils sont en fait un kaléidoscope de brun-roux et d'acajou, parsemés ici et là de rubis et de doré, tels deux lacs jumeaux un été indien, qui donnent envie d'y plonger et de s'y baigner. Le nez ? Aquilin. La bouche : tellement désirable. Le cou : odoriférant, mélange intoxicant de lessive, de mousse à raser et de savon ivoire, qui tous réunis portent le nom de… mon petit ami.

Note : B -

Appréciation : C'est mieux, mais j'aurais préféré plus de descriptions sur ce qui vous fait dire que sa bouche est si désirable.

C. MARTINEZ

Jeudi 9 septembre, en anglais

Maintenant, la question est : est-ce que je le dis ou pas à Tina ?

C'est clair que je ne peux pas le dire à *Lilly*. Elle comprendra tout de suite ce que je manigance. Et ça m'étonnerait qu'elle m'approuve. Sans compter qu'elle m'accusera à tous les coups de violer le code féministe en ayant recours à des ruses féminines au lieu de me servir de mes méninges pour obtenir ce que je veux.

Mais n'est-ce pas ce que Gloria Steinem a fait quand, pour améliorer les conditions de travail des filles qui posaient dans *Playboy*, elle s'est déguisée en minette super sexy et s'est fait embaucher afin de révéler au public les salaires dérisoires et les journées interminables des Playmates ? En gros, je fais la même chose. Je sacrifie ma virginité pour empêcher l'un des nôtres de partir. À long terme le fait que je

couche avec Michael ce soir profitera à l'économie américaine.

On pourrait presque dire que c'est mon devoir de citoyenneté de le faire.

D'un autre côté, si Lilly et J-P l'ont vraiment fait cet été (cela dit, je les ai bien observés à table, pendant le déjeuner ; eh bien, mis à part la glace que J-P a fait goûter à Lilly, je n'ai remarqué aucun signe d'intimité entre eux. Ils ne se tiennent même pas par la main dans les couloirs du bahut et ne s'embrassent pas non plus le matin, quand ils se retrouvent. En même temps, ils réservent peut-être leurs gestes de tendresse aux moments où ils sont seuls. OU alors, comme le voudrait la rumeur, c'est parce qu'ils sont allés super loin et n'ont plus besoin de manifester leur amour en public). Bref, si Lilly l'a vraiment fait, elle devrait comprendre.

Après tout, les hormones, c'est SUPER PUISSANT. Ce n'est pas facile de les combattre. Oui, Lilly devrait comprendre au moins ça.

Sauf, bien sûr, si on décide de ne pas les combattre pour la mauvaise cause.

`Tu fais quoi, Mia ? Tu prends des notes ? Je pensais que tu avais déjà lu` *`Franny et Zooey`* `!`

Non, je ne prends pas de notes. J'écris mon journal. Tina, j'ai quelque chose à te demander, mais j'ai peur que tu me haïsses après.

Tu sais bien que jamais je ne te haïrai. Et puis, tout plutôt que ce discours sur la fusion qu'opère Salinger entre les religions judéo-chrétiennes et orientales.

Bon, très bien. Alors voilà : je ne crois pas que je ferai partie des dernières pucelles d'Albert-Einstein après ce soir.

QUOI ??? VOUS ALLEZ LE FAIRE, MICHAEL ET TOI ?? OH, MIA !!!! QUAND AVEZ-VOUS PRIS LA DÉCISION ??

Eh bien, *on* n'a pas vraiment pris la décision. JE l'ai prise. Tu ne me haïras pas, promis ? Ma Grand-Mère m'a donné la clé de sa suite au Ritz et je vais y emmener Michael ce soir pour lui faire la surprise.

Tu veux dire que tu vas te donner à lui pour qu'il emporte un beau souvenir de votre histoire d'amour quand il partira à l'autre bout du monde pour prouver qu'il est digne de toi ? Oh, Mia, c'est TELLEMENT romantique !!!!!

En fait, je vais me donner à lui pour qu'il change d'avis et reste à New York. Car je te le demande : quel garçon accepterait de partir au Japon s'il peut

coucher avec sa petite amie quand il le désire et sans bouger de chez lui ?

`Oui, bien sûr. C'est pas mal, aussi.`

Tu trouves ? Tu ne penses pas que c'est diabolique de ma part de le manipuler émotionnellement ? De me servir de mon petit capital pour arriver à mes fins ?

`Je comprends pourquoi tu le fais. Tu l'aimes, et naturellement, tu ne veux pas le perdre. En plus, les interventions de Boris, hier à table, quand il parlait des clarinettistes, ont dû te faire peur. Mais très sincèrement, Mia, ça m'étonnerait que Michael tombe amoureux d'une clarinettiste au Japon.`

Oui, je sais, mais je n'ai pas envie de courir le risque. Il faut que je fasse QUELQUE CHOSE. Que J'ESSAIE au moins.

`C'est vrai, mais es-tu PRÊTE à aller jusqu'au bout ?`

Oui, si ça peut m'aider à garder Michael.

`Alors, fonce. Tu as des préservatifs ?`

Évidemment. Je pensais acheter aussi des éponges spermicides après les cours. Il paraît que les préservatifs, même utilisés correctement, ne protègent qu'à 95 %. Je ne voudrais pas tomber enceinte à cause des 5 % manquants.

Mais qu'est-ce que Lars va dire quand il te verra acheter des éponges spermicides ? Il comprendra qu'elles ne sont pas destinées à l'école, comme les préservatifs, puisqu'il suit les cours avec toi – même s'il n'écoute pas toujours (comme toi, d'ailleurs !!!)

Je pensais lui dire qu'elles étaient pour toi, que c'était une blague entre nous. Tu ne m'en veux pas ?

Ha ha ha. Une blague ! Excellent.

Je ne peux pas lui dire que je veux les offrir à Lilly, parce que s'il lui pose la question, je suis mal.

Tu n'as pas l'intention d'en parler à Lilly ?

Tina, comment veux-tu que je lui en parle ? Tu sais très bien quelle sera sa réaction.

Que si Michael ne part pas au Japon, alors son robot ne verra jamais le jour, et des milliers de personnes, qui auraient pu être sauvées mourront par ta faute.

Aïe. Ça fait mal, Tina.

Attends, c'est ce que Lilly risque de te répondre ! Ce n'est pas ce que JE pense, du moins pas complètement. Michael est un garçon plein de ressources. Je suis sûre qu'il trouvera un moyen de fabriquer son robot ici. C'est juste que… est-ce que je t'ai dit que mon père avait de la tension

et du cholestérol et qu'il risquait un pontage, malgré les médicaments, s'il ne réduisait pas sa consommation de viande rouge ?

Eh bien, dis à ta mère de l'empêcher de commander autant de bœuf aux oignons chez Wu Liang Ye.

Oui, je le ferai. Oh, Mia, c'est tellement excitant ce qui t'arrive ! Quand je pense que tu vas être la première du groupe à faire don de ton petit capital ! À l'exception de Lilly, bien sûr, si elle l'a vraiment fait avec J-P cet été.

Et tu es sûre de ne pas me détester ? De ne pas attendre la nuit de la cérémonie clôturant la fin de nos études secondaires, je veux dire ?

Bien sûr que non, Mia. Tu as des circonstances atténuantes. Si Boris envisageait de partir en Australie parce qu'on lui proposait un poste de premier violon dans un orchestre symphonique, je ferais la même chose. Sauf que ce n'est pas en étant le premier violon de l'orchestre symphonique de Sydney que Boris sauverait la vie de qui que ce soit et prouverait encore moins qu'il serait un jour digne d'un pays sur lequel je risque de régner plus tard.

Merci, Tina. Et je suis très sincère. Ton soutien compte énormément pour moi.

`C'est à ça que servent les amies !`

Vous savez quoi ? Tina Hakim Baba est LA meilleure amie dont on peut rêver.

O.K. maintenant, passons à :

LISTE DES CHOSES
À FAIRE AVANT CE SOIR

1. Acheter des éponges spermicides
2. S'épiler les jambes et les aisselles
3. S'épiler le maillot ??
4. Trouver des dessous sexy (est-ce que j'en ai, cela dit ? Ah oui, j'ai ce soutien-gorge couleur lavande avec la culotte assortie de chez La Perla que Grand-Mère m'a offerts pour mon anniversaire. J'espère que je ne vais pas faire une allergie, vu que je ne les ai jamais portés et qu'ils n'ont pas été lavés).
5. Déodorant
6. Vérifier points noirs
7. Parler à Lars (Facile. Je vais lui raconter que je vais chez Michael ce soir et qu'il pourra venir me chercher à 11 heures. Je ferai ensuite sortir Michael discrètement par l'escalier de service pour qu'il m'attende en bas de l'immeuble. Ensuite, on prendra un

taxi pour le Ritz. Bon, d'accord, Michael risque de se douter de quelque chose, mais je pourrai toujours lui dire que ça fait partie de la surprise.)

8. Faire un gommage de peau
9. Se décolorer la moustache à l'eau oxygénée
10. Donner à manger à Fat Louie

Jeudi 9 septembre, pendant l'heure du déjeuner

Quand je suis arrivée au réfectoire, tout à l'heure, j'ai vu que quelqu'un avait posé des tracts sur chaque table sur lesquels on pouvait lire, soit :

ATTENTION

Savez-vous qu'une pandémie risque de frapper l'Amérique aujourd'hui ? Avec le bioterrorisme qui nous menace tous les jours et le développement du transport aérien, des épidémies aussi mortelles que la grippe aviaire et la variole pourraient nous toucher à N'IMPORTE QUEL MOMENT. Sauriez-vous quoi faire en cas d'attaque bioterroriste ?

LA PRINCESSE MIA DE GENOVIA LE SAIT, ELLE.

VOTEZ POUR UN VRAI LEADER.
VOTEZ INTELLIGEMMENT.
VOTEZ POUR MIA.

Soit :

ATTENTION

Savez-vous que si une bombe sale engin contenant des matières radioactives) explosait à Time Square pendant nos heures de cours, même une brise légère pourrait contaminer l'air en l'espace de quelques minutes, provoquant des empoisonnements par irradiation qui se solderaient par des cancers et/ou la mort ? Sauriez-vous quoi faire en pareil cas ?

LA PRINCESSE MIA DE GENOVIA LE SAIT, ELLE.

VOTEZ POUR UN VRAI LEADER.

VOTEZ INTELLIGEMMENT.

VOTEZ POUR MIA.

Ou encore :

ATTENTION

Savez-vous qu'en 1737 puis en 1884, New York a été ébranlé par un tremblement de terre d'une intensité de 5,0 sur l'échelle de Richter ? Notre ville est sous la menace d'un NOUVEAU tremblement de terre ! Étant donné que le bas de Manhattan repose sur des sédiments excavés du World Trade Center lors de sa construction,

et que la plupart des immeubles de Upper East Side datent d'avant les normes de construction relatives aux séismes, quelles seraient nos chances de survie si un tremblement de terre d'une intensité de 5,0 ou plus sur l'échelle de Richter se produisait alors que nous sommes au lycée ? Sauriez-vous quoi faire si une telle catastrophe s'abattait sur nous ?

LA PRINCESSE MIA DE GENOVIA LE SAIT, ELLE.

VOTEZ POUR UN VRAI LEADER.

VOTEZ INTELLIGEMMENT.

VOTEZ POUR MIA.

Il ne faut pas être super INTELLIGENTE pour deviner d'où venaient ces tracts. Dès que je l'ai vue se diriger vers notre table, son plateau croulant sous la salade et le blanc de poulet (Lilly essaie de manger plus sainement depuis quelque temps. Elle a déjà perdu quatre kilos et du coup, elle ressemble moins à un carlin qu'avant. On voit presque ses pommettes), j'ai hurlé :

« À quoi tu pensais quand tu as fait ça ?

— C'est cool, hein ? a-t-elle répondu. J-P a fait des photocopies au bureau de son père.

— Non, Lilly, ce n'est pas cool ! Que cherches-tu ? À faire PEUR aux gens pour qu'ils votent pour moi ?

— Exactement, a-t-elle rétorqué en s'installant à la table. C'est la seule façon pour que ces gamins comprennent. Ils ont été élevés à la sauce Fox News et ont été abreuvés de journalisme à sensation. Ils ne se rendraient même pas compte qu'une situation pose problème s'ils y étaient confrontés. Tout ce qu'ils connaissent, c'est la peur. C'est comme ça qu'on peut s'assurer leur vote.

— Lilly, ai-je déclaré, je ne veux PAS que les gens votent pour moi parce qu'ils ont peur de ne pas savoir quoi faire si une bombe explosait. Je veux qu'ils votent pour moi parce qu'ils sont d'accord avec mes valeurs et me soutiennent dans mes positions.

— Mais tu n'auras à défendre aucune position, a fait observer Lilly très calmement, puisque tu te retireras dès que tu seras élue. Qu'est-ce que tu en as à faire ?

— C'est juste..., ai-je ajouté en secouant la tête. Je ne sais pas. Ça ne me paraît pas bien.

— Tous les hommes politiques et les journalistes font la même chose, a dit Lilly. Pourquoi pas nous ?

— Ce n'est pas une raison, ai-je répliqué.

— Hé ! a lancé J-P en posant son plateau en face de celui de Lilly. Est-ce que vous savez ce qui se produirait si un ouragan de catégorie 3 s'abattait sur New York ? Ne riez pas, c'est déjà arrivé. En 1893, un ouragan de catégorie 2 a détruit Hog Island, une île

au large des Rockaways dans Queens. Une île ENTIÈRE, avec ses hôtels, ses restaurants et tout le reste a disparu en l'espace d'une nuit. Sauriez-vous quoi faire si une pareille catastrophe survenait ? Ne vous inquiétez pas, la princesse Mia de Genovia le sait, elle.

— Très drôle, ai-je dit à J-P avant de me tourner vers Lilly et d'ajouter : Sérieusement, Lilly...

— Sérieusement, Mia, m'a-t-elle coupée. Occupe-toi de trouver un moyen d'empêcher mon frère de partir au Japon et laisse-moi m'occuper de ta campagne présidentielle. »

J'ai cligné plusieurs fois des yeux. Est-ce que Lilly SAVAIT ?? COMMENT AVAIT-ELLE FAIT ???

Mon étonnement ne lui a sans doute pas échappé car elle a secoué la tête en disant :

« Oh, je t'en prie, PDG, on se connaît depuis la maternelle. Est-ce que tu penses sincèrement que je ne sais pas lire dans ton petit jeu depuis le temps ? Quoi que tu manigances, ce sera très drôle mais inefficace. Michael a pris sa décision, alors tu ferais mieux de laisser tomber.

— Mia ! s'est exclamée Ling Su en se précipitant vers notre table, l'air paniqué. C'est vrai ? Il y a vraiment une usine de fabrication de chlore à Kearny, dans le New Jersey, qui pourrait, si elle était attaquée par des terroristes, envoyer un nuage toxique au-

dessus de Manhattan qui nous tuerait tous sur le coup ?

— Et si la centrale nucléaire d'Indian Point explosait, est-ce que les retombées qui s'abattraient sur nous et souilleraient les réserves d'eau de la ville tueraient des milliers de personnes et rendraient New York inhabitable pendant des décennies ? » a demandé à son tour Yon.

J'ai foudroyé Lilly du regard.

« Regarde ce que tu as fait ! ai-je hurlé. Tu fais flipper tout le monde à cause d'événements qui ne se produiront jamais !

— Qu'est-ce que tu veux dire par des événements qui ne se produiront jamais ? a demandé Lilly. Et la panne d'électricité qui a paralysé New York. Pendant des années, les gens ont dit que ça ne se reproduirait plus, et regarde, il y en a eu UNE ! Heureusement qu'ils ont réussi à la réparer très vite, sinon les gens auraient commencé à piller les magasins et à s'entretuer.

— Sais-tu vraiment ce qu'il faut faire si une épidémie de variole frappait notre pays ? a insisté Ling Su. Je te le demande, Mia, car les États-Unis n'ont que trois cents millions de vaccins et si tu ne fais pas partie des premiers à en recevoir, tu as toutes les chances de mourir. Est-ce que tu as accès à des stocks secrets grâce à ton statut de princesse ? Tu crois que

tu pourrais tous nous faire vacciner au cas où un terroriste relâcherait le virus dans l'air?

— Lilly! ai-je crié, écœurée. Il faut que tu arrêtes ça! À cause de toi, Ling Su pense que j'ai accès à des stocks privés de vaccins contre la variole et que, si elle ne vote pas pour moi, je ne lui en donnerai pas! C'est absurde!»

Ling Su et Yan ont paru déçues d'apprendre que je n'étais en possession d'aucun vaccin. Quant à Boris, il riait comme un bossu.

«Qu'est-ce qu'il y a de drôle? ai-je demandé.

— C'est juste que..., a-t-il commencé avant de remarquer que Tina le menaçait du regard. Non, rien, a-t-il ajouté en cessant aussitôt de rire.

— Écoute, PDG, a repris Lilly, je comprends ce que tu veux dire, mais regarde autour de toi.»

Je me suis retournée. Tous les élèves présents dans le réfectoire avaient un tract à la main ou parlaient entre eux en me jetant des coups d'œil nerveux.

«Tu vois? a fait Lilly en haussant les épaules. Ça marche. Ils vont voter pour toi parce qu'ils pensent que tu as toutes les réponses. Sérieusement, si la centrale d'Indian Point explosait, qu'est-ce que tu ferais?

— Je m'assurerais que tout le monde a pris de l'iodure de potassium dans les heures qui ont suivi l'exposition à l'iode radioactif pour se protéger des risques d'un cancer de la thyroïde. Je vérifierais éga-

lement qu'il y a suffisamment d'eau potable, de boîtes de conserve et de médicaments pour que les gens s'enferment chez eux, la ventilation coupée, en attendant que la situation soit réglée, ai-je répliqué automatiquement.

— Et en cas de tremblement de terre ? a continué Lilly.

— Je me protégerais sous un porche ou un meuble massif. Puis, après le choc initial, je couperais l'eau, l'électricité et le gaz.

— Et si une épidémie de grippe aviaire survenait ?

— Il faudrait évidemment que tout le monde prenne du Tamiflu, se lave les mains régulièrement et porte des masques chirurgicaux. Il faudrait aussi éviter d'utiliser les cabines téléphoniques, de toucher les balustrades, les rampes et bien sûr de se retrouver dans la foule, comme chez Macy pendant les soldes ou dans le métro à 18 heures. »

Lilly m'a regardée d'un air triomphant.

« Tu vois ? Je n'inventais rien. Tu SAURAIS quoi faire si une catastrophe s'abattait sur nous. J'en étais sûre car tu es une inquiète, Mia, et donc l'une des personnes les mieux préparées à réagir en cas de crise. Ne cherche pas à le nier. Tu viens de nous en donner la preuve. »

J'avoue que je suis restée sans voix après ça. En même temps, si tout ce que venait de dire Lilly était

vrai, je persistais à penser que ce n'était pas bien d'agir ainsi. Faire peur aux première année, non, ce n'était pas bien ! Avant la fin de la pause déjeuner, trois d'entre eux sont venus me demander ce qu'il fallait faire si une bombe sale explosait (donner des instructions pour que personne ne sorte puis, une fois l'autorisation de rentrer cher soi acceptée, ordonner aux gens de mettre leurs vêtements dans des sacs avant de franchir le seuil de leur maison et de se laver immédiatement) ou si un ouragan dévastait le pays (évacuer les lieux et emmener son chat).

Mais qui sait ? Lilly avait peut-être raison. En ces temps incertains, il était tout à fait possible que les gens soient à la recherche d'un vrai leader, un esprit inquiet qui a déjà réfléchi à ce genre de questions, de sorte qu'eux n'aient pas à s'en soucier et continuent de s'amuser.

Peut-être étais-je née pour cela ? Non pas pour être la princesse de Genovia, mais pour libérer les autres de leurs angoisses.

Jeudi 9 septembre, en étude dirigée

Lilly vient de me montrer le cadeau qu'elle compte offrir à son frère pour son départ : un coffret pour ranger ses cartes de magie et pouvoir les emporter au Japon sans qu'elles se mélangent dans sa valise.

Je n'ai pas eu le courage de lui dire que :

a) Michael ne joue plus avec ses cartes de magie

b) Il ne partira pas au Japon car j'ai l'intention de lui donner une excellente raison d'annuler son voyage et de rester à Manhattan.

C'est curieux, mais quand je pense à ce qui m'attend ce soir, je ne me sens pas plus nerveuse que ça. Peut-être parce que j'ai pris la bonne décision ? Qui sait ? Ça me paraît tellement… juste.

Mrs. Hill vient de me donner trois nouveaux exercices de maths à faire :

Sur une carte de restaurant, on propose quatre entrées, cinq plats principaux et trois desserts. Combien de menus peuvent être servis sachant que chacun doit comporter une entrée, un plat principal et un dessert ?

Et les boissons ? Personne n'y a pensé ? Les clients sont-ils censés mourir de déshydratation dans ce restaurant ? QUI a rédigé cet énoncé ?

Le suivant n'est pas mieux :

Le prix d'un Jean a augmenté de 30 % depuis l'an dernier. Si un Jean se vendait x dollars il y a un an, quel en serait le prix cette année ?

Qu'est-ce qu'on en a à faire, je vous le demande ? Et voici le dernier :

La taille moyenne de 4 membres d'une équipe de 6 pom pom girls est de 1,75 m. Quelle doit être la taille moyenne des deux autres pom pom girls si la taille moyenne de l'équipe entière est de 1,80 m ?

QUOI ? On mentionne les POM POM GIRLS DANS LES ANNALES DE MATHS ?

Une minute, qu'est-ce que je raconte ? Ça ne va pas du tout. JE NE PEUX PAS FAIRE ÇA !!!! Je ne peux pas COUCHER avec mon petit copain. Je suis une PRINCESSE, quand même !

Je crois que je vais avoir une attaque.

Jeudi 9 septembre, à l'infirmerie

O.K. Ce n'est pas du tout gênant, pas du tout, non. Que j'aie hyperventilé pendant le cours d'EPS.

Je suis censée respirer dans une pochette en papier avec la tête sur les genoux. Je l'ai fait au moins cinq fois et ça ne va pas mieux. En même temps, j'arrive à respirer maintenant. C'est déjà ça. N'empêche que je suis encore complètement ANGOISSÉE. Je n'en reviens pas que je VAIS LE FAIRE CE SOIR.

Et si ça se passait mal et que mes parents s'en aperçoivent ? Si, par exemple, mon hymen n'était toujours pas perforé (quoique, d'après le cours d'éducation sexuelle qu'on a eu l'an dernier, c'est peu probable ; il se déchire chez la plupart des filles lors d'activités physiques tout à fait ordinaires, comme la pratique du vélo ou l'équitation), et que je me mette à saigner et que Michael doive me conduire d'urgence à l'hôpital et que je tombe dans le coma ?

TOUT LE MONDE SAURAIT ALORS QUE J'AI FAIT DON DE MON PETIT CAPITAL.

Bon, d'accord, je n'ai jamais entendu parler d'une fille à qui ce genre de mésaventures arrivait, mais dans les romans d'amour de Tina, les filles saignent parfois lors de leur premier rapport – en même temps, l'orgasme qu'elles éprouvent est tellement fort que ça n'a pas l'air de les gêner.

Personnellement, je ne suis pas sûre d'être très bonne en orgasme. Quand j'ai essayé d'en atteindre un, je veux dire toute seule, ce n'était pas terrible. Alors en présence de quelqu'un, qu'est-ce que ça va être ?? Même si cette personne est Michael.

Oh, non, voilà l'infirmière qui revient…

Très bien. L'infirmière m'a assuré que jamais une fille ne saignait au point de se retrouver à l'hôpital après la déchirure de son hymen, sauf bien sûr si elle est hémophile. Elle m'a dit aussi que la plupart des

hymens des femmes étaient perforées, sinon elles ne pourraient pas avoir leurs règles.

Il paraît aussi, toujours d'après l'infirmière, que les romans d'amour ne sont pas nécessairement les guides les plus fiables en la matière. Du coup, elle m'a donné un fascicule intitulé : *Êtes-vous prête pour votre premier rapport ?* Je l'ai feuilleté et j'ai vu qu'il était essentiellement question de ce qu'il fallait faire pour se protéger des MST et du Sida. Mais il n'y a rien sur la virginité qui représente son petit capital et qu'on préserve pour la personne qu'on va épouser. En revanche, ils disent bien sûr qu'il vaut mieux attendre de bien connaître la personne et d'être sûr de l'aimer avant de faire l'amour avec elle ou lui. Mais ça, je le savais déjà, rapport à l'ocytocine.

Il y a également tout un chapitre sur l'âge nubile légal (N'importe quoi ! Comme si mon père allait engager des poursuites contre Michael. Est-ce qu'il aurait envie que le monde entier apprenne que sa fille a couché avec son petit copain avant le mariage ?).

Et, bien sûr, le dernier chapitre est consacré à l'abstinence et au fait que c'est bien aussi de ne pas le faire. Merci, mais je le savais déjà. C'est bien de ne pas le faire pour *certaines* filles.

Mais pas pour une fille dont le petit copain part pour le Japon pendant un an parce qu'il a inventé un robot qui va révolutionner la chirurgie cardiaque.

Évidemment, je n'ai rien dit de tout ça à l'infirmière. Du moins, en ce qui concernait la partie « sexuelle » de mon projet. Mais je lui ai parlé du départ de Michael, de mon angoisse à l'idée de ne pas le voir pendant un an et tout ça.

Elle m'a répondu :

« Mon frère a eu un triple pontage l'an dernier après une attaque cardiaque. Ils ont dû lui ouvrir le torse pour l'opérer. Il n'a jamais autant souffert de sa vie, et six semaines après son opération, il regrettait encore de ne pas être mort. »

Je suis désolée pour le frère de Mrs. Lloyd, l'infirmière d'Albert-Einstein, mais ça ne résout en rien MON problème.

Jeudi 9 septembre, en chimie

Ça va, Mia ? J'ai appris que tu avais fait un malaise en EPS ?

Je vois que les bruits vont vite dans cet établissement. Mais ça va, merci, J-P. J'ai dû forcer un peu trop à la course.

Ouf, me voilà rassuré. Cela dit, tu as l'air un peu pâle.

J'imagine que c'est parce que j'ai des tas de choses à penser.

Mais oui, bien sûr ! Michael part demain, c'est ça ?

Oui, je crois.

Comment ça, tu crois ? Je pensai qu'il partait pour de bon.

Eh bien, on verra.

Quel dommage s'il ne partait pas. C'est une telle occasion pour lui.

Je sais, mais comme tu le dis si bien, c'est une telle occasion POUR LUI. Et MOI, alors ? Je reste ici toute seule.

Toute seule ? Et moi, tu m'oublies ? Je suis là !

Ha, ha. Très drôle.

Tu sais, j'ai réfléchi à ce que disait Boris l'autre jour, à table. Bien sûr, ce n'était pas très malin de sa part, mais j'avoue qu'il n'a pas tout à fait tort... Est-ce que tu envisages vraiment de ne plus sortir pendant un an ? En avez-vous parlé, Michael et toi ? Parce que ça ne serait pas très juste de sa part d'attendre de toi que tu ne voies personne pendant son absence. Après tout, si tu as envie de sortir avec d'autres garçons, pourquoi pas ?

Mais je n'en ai pas envie !!!!! J'aime Michael.

Évidemment que tu l'aimes, mais tu n'as que seize ans. Vas-tu vraiment rester chez toi tous les samedis soir jusqu'à son retour ?

Je ne compte pas rester chez moi toute seule. Et mes amies, alors ? J'espère bien les voir !

Sauf que tes amies ont toutes des petits copains. Je ne dis pas qu'elles ne voudront pas te voir, mais tu ne crois pas que tu risques de te sentir seule quand elles sortiront avec leurs copains et que toi, tu seras dans ta chambre ?

Oui, c'est vrai. Mais ça me laissera le temps de travailler à mon roman. Et à mon scénario ! Et puis, si Michael part – je veux dire s'il part vraiment –, j'aurais peut-être fini les deux à son retour. Alors, j'aurai moi aussi accompli QUELQUE CHOSE. Qui ne changera peut-être pas la vie de milliers de malades, mais tu vois ce que je veux dire. Je ne serai pas QUE la princesse de Genovia.

Je croyais t'avoir convaincue hier qu'être juste toi était suffisant comme accomplissement dans la vie.

Oui, mais c'est parce que tu es gentil que tu as dit ça. Tout le monde peut être SOI. Moi, je veux faire quelque chose de spécial.

Mia, si tu n'écoutes pas plus, je ne vois pas comment tu peux comprendre quoi que ce soit à ce cours. Et ne compte pas sur moi pour te donner les réponses aux contrôles comme l'an dernier. J'ai d'autres choses à faire. Kenny.

Ce type commence à m'énerver.

Mais il a raison. Ce n'est pas bien, ce qu'on fait.

Mais c'est tellement bon !

J-P, arrête ! Tu me fais rire !

Super. C'est justement ce qu'il te faut, en ce moment.

Oh, J-P est tellement adorable. Lilly a de la chance de s'être trouvé un petit copain comme lui.

Bon, ça suffit maintenant. J'écoute.

Une minute… Combien il y a de composés chimiques ? Et on est censés les apprendre TOUS ??

Jeudi 9 septembre, en maths

RAISONS POUR LE FAIRE CE SOIR
CONTRE
RAISONS POUR ATTENDRE LE BAL
CLÔTURANT LA FIN DE MES ÉTUDES

POUR

Ça pourrait le convaincre de rester à New York au lieu de partir au Japon, ce qui m'empêchera de faire une dépression parce que je ne pourrai plus sentir l'odeur de son cou.

CONTRE

Ça pourrait le convaincre de rester à New York au lieu de partir au Japon, ce qui priverait le monde d'une découverte médicale qui pourrait sauver des vies humaines, et cela mettrait ma Grand-Mère dans l'impossibilité de me trouver un autre garçon plus digne de moi (c'est-à-dire plus riche) que Michael.

POUR

Michael m'a dit qu'il ne viendra pas à ma remise de diplômes et donc n'assistera pas au bal qui clôturera la cérémonie, alors autant le faire maintenant.

CONTRE

Mais quand j'aurai fini mes études secondaires, c'est-à-dire dans deux ans, Michael n'en pourra peut-être tellement plus d'attendre qu'il acceptera après tout de m'accompagner au bal !

POUR

Ça nous permettra d'exprimer notre amour physiquement dans une union où nous ne formerons plus qu'un cœur, un esprit, une âme.

CONTRE

Et si mon ventre gargouille ? Vu qu'on sera NUS, il saura bien que c'est moi.

POUR

En parlant de nudité, je verrai enfin Michael nu.

CONTRE

Et il ME verra nue.

POUR

En faisant l'amour ce soir, au lieu d'attendre le soir du bal de fin d'études, on ne tombera pas dans le cliché, comme tous les couples dans les films d'ados.

CONTRE

Le fait que je n'ai pas dix-huit ans pourrait entraîner des complications légales pour Michael. En même temps, ça m'étonnerait que mon père apprécie que la presse s'empare de l'affaire.

POUR

Lilly l'a déjà fait, du moins, je crois. Et je n'ai pas l'impression que ça leur a fait du mal, à J-P ou à elle.

CONTRE

Je n'en suis pas sûre à 100 %.

POUR

En nous faisant don mutuellement de notre petit capital, nous tisserons un lien émotionnel et spirituel que nous ne partagerons avec personne d'autre dans la vie, même si l'inconcevable devait arriver et qu'on se sépare.

CONTRE

Je ne trouve pas d'argument contre.

Oh, et puis zut. On va le faire, point final. Et je crois que je vais vomir.

Devoirs

Intro à la création littéraire : un truc complètement idiot que j'ai oublié

Anglais : écrire un texte de 1 000 mots sur *Franny et Zooe*

Français : continuer la palpitante soirée avec des amis

Chimie : ??

Calcul différentiel : connais pas

Encore six heures avant que Michael et moi, on le fasse !!!!!!!!

Jeudi 9 septembre, au Four Seasons

Cela devient de plus en plus difficile de retrouver Grand-Mère pour mes leçons de princesse. J'ai fini par la dénicher au Four Seasons, où elle a pris la suite du dernier étage, sauf qu'à mon arrivée, j'ai eu une fois de plus l'impression de débarquer dans une maison de fous.

« Ces rideaux sont inacceptables ! hurlait-elle à un homme, dont le badge sur le revers de sa veste indiquait qu'il s'appelait Jonathan Gréer.

— Je vais les faire remplacer immédiatement », a répondu Jonathan Greer.

Grand-Mère a paru surprise qu'il ne discute pas plus et a précisé :

« Je veux un motif fleuri, vous m'entendez ? Mais PAS de rayures.

— Absolument, madame, a dit Jonathan Greer. Nous allons les remplacer par des rideaux au motif fleuri. »

Grand-Mère lui a jeté à nouveau un coup d'œil étonné : elle était visiblement habituée à plus de résistance de la part des gérants des hôtels où elle était descendue récemment.

« Et je ne supporte pas le cuir, a-t-elle ajouté en montrant du doigt un fauteuil club. C'est désagréable et Rommel les déteste. L'odeur du cuir le rend nerveux. Il a reçu un coup de corne de vache il y a quelques années.

— Je vais demander à ce qu'on le retire tout de suite, madame », a répliqué le gérant.

Quand il m'a vue, il a hoché poliment la tête dans ma direction, puis s'est tourné de nouveau vers Grand-Mère et a suggéré :

« Peut-être aimeriez-vous un fauteuil assorti aux rideaux ? »

Grand-Mère l'a toisé, de plus en plus surprise.

« Eh bien, pourquoi pas ? a-t-elle dit. Oui, ce serait une excellente idée.

— Et est-ce que Votre Altesse désirerait du thé maintenant que je vois que votre petite-fille est arrivée ? a-t-il proposé. On peut vous le monter tout de suite. Avec des canapés et des scones, peut-être ? »

Grand-Mère m'a donné l'impression d'être sur le point de défaillir tellement elle n'en revenait pas.

« Oui, a-t-elle répondu. Du thé. De l'Earl Grey.

— Parfait, a fait Jonathan Greer. Désirez-vous également un cocktail, Votre Altesse ? J'ai cru comprendre que le Sidecar – servi dans un verre à pied sans sucre sur le rebord – était votre boisson préférée ? »

Grand-Mère a carrément dû s'asseoir, ce qu'elle a fait avec grâce – sauf qu'elle a failli écraser Rommel qui a sauté à terre juste à temps.

« Un Sidecar ? a-t-elle répété, presque d'une petite voix. Volontiers.

— Nous sommes à votre disposition pour rendre votre séjour dans notre Suite Royale le plus agréable possible, Votre Altesse, a déclaré Jonathan Greer. Il vous suffit d'appeler la réception. »

Et sur ces paroles, il s'est retiré et a regagné le couloir où, hors de portée de vue de Grand-Mère, je l'ai aperçu qui retrouvait mon père. Ils ont parlé tout bas pendant quelques minutes puis papa lui a glissé un billet dans les mains en le remerciant.

Ouah ! Mon père peut être sournois parfois.

« Alors, a-t-il lancé à sa mère en entrant, l'air de rien. Qu'en penses-tu ? Est-ce que cette suite te convient ?

— Tu sais qu'elle s'appelle la Suite Royale ? a-t-elle fait observer, toujours sous le choc.

— Oui, et il me semble que ce nom est justifié, non ? a fait mon père. Trois luxueuses chambres pour toi, Rommel et ton employée. J'espère que cela te plaît. Regarde… il y a même un cendrier. »

Grand-Mère a cligné des yeux plusieurs fois devant le cendrier en cristal que mon père agitait sous ses yeux.

« Et des roses ! ai-je ajouté. Des blanches et des roses, comme tu les aimes !

— Alors ? a demandé mon père. Penses-tu pouvoir rester ici le temps que ta suite au Plaza soit prête ? »

Grand-Mère a lâché un soupir.

« Je crois que je vais m'y faire, a-t-elle dit. Bien que cela ne corresponde pas tout à fait à ce à quoi je suis habituée.

— Bien sûr, a concédé mon père. Mais parfois dans la vie, il faut savoir souffrir. Alors, Mia, comment vas-tu ? » a-t-il ensuite demandé.

J'ai bondi de la fenêtre près de laquelle je me tenais. On se trouvait au trente-deuxième étage et je dois dire que la vue, quoique magnifique, ne m'aidait guère à réprimer la sensation de nausée que je sentais monter en moi.

En plus, mon ventre n'arrêtait pas de gargouiller. On aurait dit que j'avais avalé des petits colibris, comme ceux qui volent parfois devant ma fenêtre à Genovia. Je suis sûre que c'était la nervosité, oui, ça ne pouvait être que la nervosité. J'étais tellement impatiente de découvrir l'extase ce soir dans les bras de Michael.

« Ça va, ai-je répondu, peut-être trop vite, car mon père m'a regardée bizarrement.

— Tu en es certaine ? a-t-il insisté. Tu m'as l'air bien pâle.

— Non, non, je t'assure, ça va très bien. J'ai juste hâte de commencer ma leçon de princesse ! » ai-je lancé.

Mon père m'a regardée encore PLUS bizarrement. JAMAIS, je n'ai hâte de commencer ma leçon de princesse.

« Amelia, a gémi Grand-Mère depuis le canapé dans lequel elle s'était affalée. Je n'ai pas la force de te

donner une leçon aujourd'hui. Jeanne et moi devons défaire les bagages. »

Ce qui signifiait, en réalité : *Jeanne, ma femme de chambre, doit défaire les bagages tandis que moi, la princesse douairière, je lui dirai où tout ranger.*

« J'ai besoin de m'organiser avant de pouvoir réfléchir à ce que je dois t'apprendre. Tous ces déménagements nous ont énormément perturbés, Rommel et moi. »

On s'est tournés vers Rommel. Il dormait en boule dans un panier au pied du canapé et ronflait par à-coups, rêvant sans doute qu'il se trouvait loin, très loin de Grand-Mère.

« Eh bien, mère, a déclaré mon père. Maintenant que tu as Mr. Greer pour veiller à ton bien-être, je suppose que je peux te laisser. Je…

— Avec quel mannequin de chez Victoria Secret sors-tu ce soir ? l'a coupé Grand-Mère. Puis, avant qu'il ait le temps de répondre, elle a ajouté : Amelia, le stress de ces dernières heures a ravagé ma peau. Je pense que je vais me faire un soin. Tu peux rentrer chez toi.

— Bien, Grand-Mère », ai-je dit, avec beaucoup de difficulté pour masquer mon soulagement.

Moi aussi, j'avais un soin à me faire, et plus qu'un soin, même. Je me demande en fait si Grand-Mère ne s'en doutait pas et que c'est pour ça qu'elle m'au-

torisait à partir plus tôt. Non, ce n'est pas possible. Ma Grand-Mère ne pouvait pas vouloir que sa petite-fille couche avec son petit copain avant le mariage !

Si ?

Non, voyons !

Même ma Grand-Mère ne pouvait pas être aussi calculatrice.

Jeudi 9 septembre, chez les Moscovitz, 7 heures du soir

Bon, eh bien voilà. Je me suis épilée, exfoliée, j'ai fait un soin après mon shampoing et j'ai des éponges spermicides dans mon sac. Je crois que je suis prête. Mis à part l'envie de vomir qui continue de me tenailler.

C'est de la folie, ici. Michael est en train de boucler sa valise et sa mère semble penser qu'il n'y a ni savon ni papier de toilette au Japon. Elle n'arrête pas de glisser des tas de choses dans son sac. Avec Maya, la femme de ménage des Moscovitz, elle est allée chez Sam, la parapharmacie du New Jersey, où elle a acheté de quoi tenir un an en vitamines, pansements gastriques et autres produits pour faciliter la digestion. Sans compter qu'elle les a tous pris en doses familiales.

« Maman, je suis sûr que j'en trouverai là-bas, ne cesse de lui dire Michael. Et je n'ai pas besoin d'en

emporter autant. C'est comme ce bain de bouche. Trois litres, tu ne trouves pas que ça fait beaucoup ? »

Mais apparemment, le Dr Moscovitz n'en a que faire des remarques de son fils et remet systématiquement dans sa valise ce qu'il retire.

En fait, tout ça est assez triste. Je sais ce que ressent le Dr Moscovitz. Elle cherche à maintenir une apparence de contrôle dans un monde qui part à la dérive. Et s'assurer que son fils a suffisamment de bicarbonate de soude jusqu'au prochain millénaire l'aide à y croire.

Comme j'aimerais lui dire qu'elle n'a pas de souci à se faire, puisque Michael ne partira finalement pas au Japon. Mais je ne peux pas la mettre au courant de mon stratagème avant que Michael n'en soit le prisonnier.

Je l'ai tout de même prévenu qu'on filerait en douce dès qu'il aurait fini ses valises. Michael n'aime pas ça – il a toujours peur de se faire attraper par mon père. Je peux comprendre ses craintes : mon père est quand même à la tête d'un service d'ordre composé de tireurs d'élite –, mais je sens qu'il est intrigué.

« C'est bon, j'ai terminé, vient-il de me lancer. Je vais chercher ma veste. Je crois qu'elle est dans ma chambre. »

S'il savait qu'il ne va pas en avoir besoin…

Au moment où Michael allait récupérer sa veste, Lilly est sortie de sa chambre, son caméscope à la main.

« Super ! Tu es là, PDG ! s'est-elle écriée en me voyant. En deux mots : comment réduirais-tu la pollution due au réchauffement de la planète afin que nous ne vivions pas une catastrophe climatique équivalente à celle décrite dans *Le Jour d'après* ?

— Lilly, je ne suis pas d'humeur à passer dans ton émission, ai-je répondu.

— Ce n'est pas pour *Lilly ne mâche pas ses mots*, c'est pour la campagne électorale. Allez, dis quelque chose. Fais comme si tu t'adressais au parlement de Genovia. »

J'ai poussé un soupir et j'ai dit :

« Au lieu de dépenser trois cents milliards de dollars par an pour extraire et raffiner des combustibles fossiles, j'obligerais les leaders de ce monde à dépenser la même somme d'argent pour développer des ressources d'énergie propre, comme l'énergie solaire, éolienne et les combustibles organiques.

— Très bien, a fait Lilly. Quoi d'autre ?

— Est-ce que cela fait partie de ta ruse pour effrayer les première année et les obliger à voter pour moi ? ai-je demandé.

— Contente-toi de répondre à ma question, a dit Lilly.

— J'aiderais les pays en voie de développement, qui sont ceux qui polluent le plus, à adopter des ressources d'énergie propre. Et j'inciterais les fabricants d'automobiles à construire des voitures électriques et à racheter tous les SUV mis sur le marché. Je proposerais aussi des avantages fiscaux aux consommateurs et aux industriels qui passent de l'énergie fossile à l'énergie solaire ou éolienne.

— Hé ! a fait brusquement Lilly. Qu'est-ce qui t'arrive ?

— Qu'est-ce que tu veux dire par "qu'est-ce qui m'arrive ?" »

Un bouton venait-il d'apparaître soudain ? C'était bien ma veine !

« Je ne sais pas, mais tu as l'air super nerveuse. Comme si tu avais envie de vomir tout à coup ?

— Ah bon ? » ai-je fait.

Ouf, ce n'était pas un bouton.

« Je ne vois pas de quoi tu parles, ai-je ajouté.

— PDG, a dit Lilly en baissant sa caméra et en me scrutant du regard. Qu'est-ce que tu manigances ? Et où allez-vous ce soir, Michael et toi ? Il m'a dit que tu lui avais préparé une surprise. »

Heureusement, Michael est sorti pile à ce moment-là, sa veste sur le bras.

« Excuse-moi, Mia, a-t-il dit. Je suis prêt. »

J'aurais aimé en dire autant.

Jeudi 9 septembre, 8 heures du soir, au Ritz

J'ai très peu de temps pour écrire – Michael est en train de donner un pourboire au garçon d'étage.

Tout se passe à la perfection. On est sortis de chez les Moscovitz sans que personne soupçonne quoi que ce soit. Michael pense qu'on va dîner en tête à tête dans la suite du Ritz que ma Grand-Mère a délaissée (heureusement, ils ont fait le ménage après son départ, car ça m'étonnerait que j'aurais pu le faire si la chambre avait encore eu des relents de Chanel N° 5, comme toutes les pièces après le passage de Grand-Mère).

Michael ne sait toujours pas que je m'apprête à faire de lui le récipiendaire de mon petit capital.

Oups ! Le revoilà.

Je lâcherai la bombe après le dîner. La bombe sexuelle, je veux dire.

Ha ha.

Jeudi 9 septembre, 10 heures du soir, dans le taxi, de retour du Ritz

Comment a-t-il pu ? Je n'arrive pas à le croire.

Je n'arrive même pas à le CONCEVOIR, alors L'ÉCRIRE !!! De toute façon, je ne vois pas suffisamment clair. Il n'y a pas assez de lumière dans ce taxi.

Je parviens tout juste à distinguer la page de mon journal quand on s'arrête sous un réverbère à cause des embouteillages.

Et vu qu'Ephrain Kleinschmidt – c'est le nom du chauffeur, du moins celui qu'il a affiché sur la vitre qui nous sépare – a pris la 5e Avenue au lieu de Park Avenue, comme je le lui avais demandé, on est coincés dans les embouteillages.

Mais tant mieux. Oui, j'ai bien dit TANT MIEUX. Car je vais pouvoir pleurer tout mon soûl avant de rentrer à la maison, ce qui m'évitera de répondre à l'interrogatoire de maman et de Mr. G quand ils verront que je fais la même tête que Kirsten Dunst après la scène de la baignoire dans *Crazy/Beautiful*. Vous savez, quand elle hurle de façon hystérique.

En tout cas, Ephrain Kleinschmidt a vraiment l'air inquiet. J'imagine qu'il n'a jamais pris de princesse de seize ans dans son taxi qui pleure comme une Madeleine. Il n'arrête pas de me jeter des coups d'œil dans son rétroviseur et de me proposer des Kleenex.

Comme si des Kleenex pouvaient m'aider !!!!!! La seule chose qui pourrait m'aider, c'est mettre tout à plat de manière objective afin d'essayer d'y trouver un sens. Car cela n'a *aucun sens*.

Cela n'a PAS pu se produire.

Non, ce n'est pas possible.

Sauf que ça s'est produit.

Comment a-t-il pu ne pas m'en parler avant ? Franchement. Je pensais que notre relation reposait sur l'honnêteté. Qu'elle était parfaite.

Bon, d'accord, peut-être pas parfaite car aucune relation n'est parfaite. J'admets que je ne partage pas sa passion pour l'informatique. Mais au moins, il le sait, et il ne m'ennuie plus avec. Tout comme j'évite de lui parler de mes leçons de princesse.

Mais à part ça, je croyais que notre relation fonctionnait bien. Qu'on était francs l'un envers l'autre. Qu'on n'avait pas de secrets.

Quand je pense que Michael a gardé quelque chose d'aussi énorme pendant TOUT CE TEMPS !

Et son excuse – à savoir que je ne lui ai jamais posé la question – est NULLE. Je suis désolée, mais elle est complètement…

NON ! EPHRAIN KLEINSCHMIDT, JE NE VEUX PAS DE KLEENEX !!!

Bref, son excuse est nulle. On ne répond pas ÇA à sa petite copine.

En même temps, j'aurais dû m'en douter. Mais à QUOI je pensais ????? Michael est bien trop sexy pour ne pas avoir…

O.K. Essayons d'être objective.

Tout se passait à merveille, du moins, c'est ce que JE PENSAIS. Même ma sensation de nausée s'était atténuée. D'accord, je n'ai pas réussi à manger beaucoup – j'avais commandé du thon avec une salade d'artichaut aux fèves et aux oignons, et Michael avait pris du poulet à la moutarde, avec des petits pois frais et des carottes, et une sauce « cappucino ». Pour le dessert, on avait choisi de se partager une mousse au chocolat. J'étais un peu inquiète à cause des oignons, mais j'avais des bonbons à la menthe dans mon sac. Bref, j'ai plutôt picoré que manger vu que j'étais quand même un peu angoissée à l'idée de le faire.

Mais la seule présence de Michael, donc de ses phéromones, m'avait suffisamment calmée pour qu'au moment du dessert, je me sente vraiment capable de passer à l'acte.

Du coup, après avoir rassemblé tout mon courage, j'ai dit :

« Michael, tu te souviens de ce week-end où ma mère et Mr. G ont dû partir dans l'Indiana et que je suis restée au Plaza et que j'ai invité Lilly, Tina et toute la bande à passer la nuit, mais pas toi et que tu étais fou de rage.

— Je n'étais pas fou de rage, a fait observer Michael.

— Oui, mais tu étais déçu que je ne t'ai pas invité, lui ai-je rappelé.

— C'est vrai, a-t-il admis.

— Eh bien, j'ai cette suite pour moi ce soir, et c'est toi que j'ai invité, et pas Lilly ni personne d'autre.

— C'est ce que j'avais plus ou moins cru comprendre, a-t-il répondu. Mais je n'ai rien dit au cas où les filles débarqueraient plus tard. Après dîner, par exemple.

— Pourquoi les filles débarqueraient-elles après dîner ? ai-je demandé.

— Je plaisantais, a-t-il répliqué. Je me doute bien qu'elles ne viendront pas, mais avec toi, c'est parfois difficile de prévoir ce qui va se passer.

— Eh bien… », ai-je commencé.

C'était TELLEMENT dur pour moi de le dire. Il le FALLAIT pourtant. Sans compter que J'EN AVAIS ENVIE. Je pensais sincèrement que j'étais prête à le faire.

« J'admets t'avoir dit que je voulais attendre la fin de mes études secondaires pour qu'on couche ensemble, mais tu vois, j'y ai beaucoup réfléchi ces derniers temps, et je crois que je suis prête. On peut le faire. Ce soir, je veux dire. »

Je pensais que Michael aurait été plus surpris. Sans doute ne l'était-il pas parce qu'on se trouvait déjà dans une chambre d'hôtel. Maintenant que j'y repense, c'était peut-être aussi sa façon de me révéler indirectement ce qu'il s'apprêtait à m'annoncer.

Il a alors dit quelque chose qui m'a complètement bouleversée (je ne savais pas à ce moment-là qu'il allait dire PLEIN d'autres trucs qui me bouleverseraient encore plus).

Bref, il a dit :

« Mia, tu en es sûre ? Je te pose la question parce que tu semblais vraiment tenir à ne le faire qu'après ta remise de diplômes, et je ne voudrais pas que tu changes d'avis sous prétexte que je pars pendant quelque temps et que tu as peur que… eh bien, que je sorte avec une geisha, comme tu me l'as toi-même fait remarquer. »

!!!!!!!!!!!!!!!!!!!!!!!!!!!

Évidemment, j'ai répondu :

« Euh… Quoi ? »

Regardons les choses en face : Michael avait exprimé plus que clairement son désir de faire l'amour – avec moi – au cours de l'année passée. Aussi, qu'il mette en doute ma proposition m'a sacrément ébranlée.

Et je ne parle même pas du fait qu'il ne m'ait pas renversée sur le lit tout en me déclarant que finalement, il ne partait plus au Japon.

« Je sais, a-t-il repris, avec l'air de quelqu'un qui souffre vraiment. Mais c'est juste que… je ne voudrais pas qu'on le fasse pour de mauvaises raisons. Par exemple, que tu penses que si on le faisait, je

changerais d'avis par rapport à mon voyage ou quelque chose dans le genre. »

Je suis restée bouche bée parce que… parce que je n'arrivais tout simplement pas à croire que ça se passe ainsi !!!! Michael ne pouvait pas me rejeter après avoir tellement tenu à le faire !!!!! C'est clair qu'il pensait, comme Tina, que j'acceptais de coucher avec lui pour qu'il emporte un beau souvenir à l'autre bout de la planète où il allait prouver qu'il était digne de moi.

« Euh, ai-je fini par dire. Ce n'est pas à cause de ton voyage que j'ai changé d'avis.

— Ah bon ? a fait Michael, incrédule. Tu es en train de me dire que, si on fait l'amour ensemble ce soir, tu ne m'en voudras pas demain quand je partirai pour le Japon ?

— Non », ai-je répondu.

Je suis sûre que mes narines vibraient, mais vu que la chambre n'était pas très éclairée, il est possible que Michael n'ait rien remarqué.

« Mais je reconnais que… que ça m'étonne que tu aies TOUJOURS envie de partir. Étant donné que… que tu vas LE FAIRE. Avec moi. Et que tu pourras continuer à le faire régulièrement.

— Mia, a déclaré Michael, je t'ai déjà expliqué que si je pars, c'est en partie pour NOUS. Pour que des gens comme ta Grand-Mère cessent de dire :

“Pourquoi sort-elle avec LUI ? C’est une princesse et lui, juste un garçon avec qui elle allait au lycée.”

— Je comprends », ai-je répliqué.

J’essayais de faire preuve de maturité, mais j’avoue que j’étais au bord des larmes. Et pas seulement parce que Michael venait de m’avouer que, même si on couchait ensemble ce soir, il partirait au Japon. Mais parce que j’avais le pressentiment que la soirée était gâchée. On ne coucherait pas ensemble et j’étais déçue.

Vous voulez que je vous dise ? Je crois que j’avais vraiment envie de le faire.

La sensation de nausée mise à part.

« Je sais, tu es persuadé que tu dois prouver que tu es digne de moi », ai-je repris, avec le sentiment de ne pas faire avancer les choses en tenant ce genre de propos.

Mais il fallait que je parle, pour sauver la situation et parce qu’il y avait PEUT-ÊTRE une chance pour que Michael change d’avis. Après tout, peut-être n’avait-il pas conscience de ce à côté de quoi il allait passer ?

« Je comprends que la réalisation de ton robot compte beaucoup pour toi, ai-je poursuivi. Mais je pensais que NOTRE AMOUR était plus fort, et que se faire mutuellement le don de notre petit capital était la plus belle façon de l’exprimer.

— Le petit QUOI ? », a demandé Michael.

C'est ça le problème avec les garçons. Ils ne comprennent rien à rien. Ils s'y connaissent peut-être en informatique et en robots, mais ils ne connaissent rien aux choses importantes de la vie.

« Le petit capital, ai-je répété. Notre virginité à l'un et à l'autre. Je pensais qu'on pouvait s'en faire le don maintenant. Ce soir. »

Michael a dit alors la chose la PLUS HORRIBLE de la soirée. Le reste – qu'il envisageait d'aller au Japon qu'on fasse l'amour ou pas – n'était RIEN comparé à ÇA. Il a dit :

« Mia, j'ai fait le don de… comment tu appelles ça, déjà ? Ah oui, de mon petit capital il y a longtemps. »

!!

Au début, j'ai cru que j'avais mal entendu. Tout simplement, parce qu'il avait RI tout en parlant, comme si ce n'était pas important. Personne ne rirait en avouant avoir fait le don de son petit capital. Personne qui le dirait SÉRIEUSEMENT.

Mais lorsqu'il m'a vue froncer les sourcils, il a immédiatement cessé de rire et m'a demandé :

« Pourquoi tu me regardes comme ça ? »

À ce moment-là, j'ai eu brusquement très froid, comme si quelqu'un avait baissé l'air conditionné et qu'il faisait moins vingt dans la chambre.

« Michael, tu n'es plus… vierge ? ai-je murmuré.

— Bien sûr que non ! a-t-il répliqué. Tu le savais. »

!!

« NON, JE NE LE SAVAIS PAS ! ai-je rétorqué. DE QUOI PARLES-TU AU JUSTE ? »

Cette fois, c'est lui qui a paru inquiet. Sans doute parce que j'avais hurlé. Mais je m'en fichais.

« C'est vrai qu'on n'a jamais abordé le sujet, mais je ne pensais pas que c'était si important que ça…

— TU AS COUCHÉ AVEC UNE FILLE ET TU PENSES QUE CE N'EST PAS IMPORTANT ??? PAS SUFFISAMMENT IMPORTANT POUR ME LE DIRE ??? »

Je sais, ça a l'air idiot, mais j'étais sur le point de fondre en larmes. Son petit capital ! Il l'avait donné à quelqu'un d'autre ! Et il avait pensé que ça ne me ferait rien !

« Mais c'était avant qu'on sorte ensemble, a-t-il déclaré, l'air complètement paniqué. Et c'était il y a longtemps.

— QUI ? », ai-je hurlé à nouveau.

Je ne pouvais pas m'en empêcher. Pire, j'en avais envie. Ça me faisait du bien, même. Je suis sûre que Tina avait hurlé elle aussi quand Boris lui avait avoué que Lilly avait touché son… vous voyez ce que je veux dire.

« QUI C'ÉTAIT ? ai-je insisté.

— Tu veux savoir avec qui j'ai couché ? a demandé Michael en clignant des yeux. Je ne suis pas certain de vouloir te le dire. Tu pourrais la massacrer. Tu as un regard assassin.

— QUI C'ÉTAIT ????? ai-je répété.

— O.K. C'était Judith. »

Michael n'avait plus du tout l'air inquiet. Il semblait plutôt agacé.

« Qu'est-ce que TU as, Mia ? a-t-il repris. Ça ne voulait rien dire. On flirtait, c'est tout. Et puis c'était avant que je sache que je te plaisais. Pourquoi en fais-tu toute une histoire ?

— Judith ? » ai-je fait.

Il y avait tellement de pensées qui se heurtaient dans ma tête que j'avais l'impression que l'intérieur de mon cerveau s'était transformé en une espèce de jeu de massacre, genre Démolition Derby.

« JUDITH GERSHNER??? TU AS COUCHÉ AVEC JUDITH GERSHNER??? TU M'AS DIT QUE VOUS N'ÉTIEZ QU'AMIS !!!

— C'est vrai ! » a répondu Michael tout en se levant.

Du coup, je me suis levée, moi aussi, et on s'est retrouvés debout l'un en face de l'autre en train de hurler. C'est-à-dire que moi, je hurlais. Michael, lui, parlait.

« On était amis et on a un peu flirté, a-t-il expliqué.

— Tu m'as dit que tu ne sortais pas avec elle et qu'elle avait déjà un copain, me suis-je exclamée.

— Je ne sortais pas avec elle et elle avait un copain, a répété Michael. Mais...

— Mais QUOI ? l'ai-je coupé.

— Mais... Oh, je ne sais pas, a-t-il répondu en haussant les épaules. On flirtait, c'est tout.

— Ah oui ? » ai-je fait.

Je n'en revenais pas. Michael et Judith Gershner...

J'avais déjeuné avec Judith Gershner, j'avais fait du PATIN À GLACE avec elle. Je lui avais PARLÉ. Et pendant tout ce temps, l'idée qu'elle pouvait avoir une connaissance charnelle de mon petit ami, qu'elle puisse être la récipiendaire de son petit capital, alors que moi, je ne le serais JAMAIS, ne m'avait pas traversé l'esprit.

Car une fois qu'on s'en est séparé, on ne peut plus le reprendre pour le donner à quelqu'un d'autre qu'on apprécie plus ou qu'on aime d'amour. Non. C'est impossible. C'est du moins ce qu'ils disent dans les livres de Tina. C'est FINI.

FINI.

« Est-ce que Judith pensait comme toi ? ai-je demandé. Est-ce qu'elle pensait que vous flirtiez,

c'est tout ? Ou est-ce qu'elle était amoureuse de toi ? Est-ce qu'elle savait qu'elle te faisait le don de son petit capital pour que tu sortes avec elle ?

— Premièrement, a déclaré Michael, si tu continues à dire “petit capital”, je ne réponds plus de moi, et deuxièmement, on ne faisait que flirter. Judith n'était pas amoureuse de moi et je n'étais pas amoureux d'elle. Je n'étais même pas le premier garçon avec qui elle couchait ! »

J'ai blêmi.

« MON DIEU ! me suis-je écriée. Tu avais mis un préservatif ? Et si ELLE T'AVAIT TRANSMIS UNE MALADIE ?

— Elle ne m'a rien transmis du tout ! Et bien sûr que j'ai mis un préservatif. Je ne comprends pas pourquoi tu en fais toute une histoire, Mia. Je ne t'ai pas trompée, bon sang ! C'était avant que tu m'envoies tes poèmes anonymes. J'étais à des lieues de penser que tu m'appréciais. Si j'avais su...

— Quoi, si tu avais su ? ai-je coupé Michael. Tu n'aurais pas donné ton petit capital à Judith ?

— Je t'ai demandé de ne pas employer cette expression. Mais, oui.

— Donc, c'est MA faute ? ai-je hurlé. C'est ma faute si tu as perdu ta virginité avec une autre fille que moi, parce que j'étais TIMIDE ???

— Ce n'est pas ça, s'est défendu Michael.

— Tu aurais pu me le dire, toi, que tu m'appréciais au lieu de coucher avec JUDITH GERSHNER !

— À quoi cela aurait-il servi ? a riposté Michael. Tu sortais avec Kenny Showalter à l'époque, si je me souviens bien. »

J'ai sursauté.

« MAIS JE NE L'AIMAIS PAS !

— Comment voulais-tu que je le sache ? Il paraît que tu n'aimais pas Josh Richter, non plus. Excuse-moi, mais ça ne se voyait pas vraiment ! »

J'ai sursauté à nouveau. JOSH RICHTER ? Il osait me parler de JOSH RICHTER ?

« Quant à Kenny, tu es sortie avec lui un bon moment, non ? a-t-il continué. Pour un garçon que tu n'appréciais pas, je veux dire. Mais ça ne m'embête pas, parce que tu as fini par retrouver tes esprits. Aussi, je te serais reconnaissant de ne pas monter sur tes grands chevaux sous prétexte que je ne t'ai pas attendue.

— Comme tu voudrais que je t'attende pendant que tu seras au Japon ? » ai-je hurlé.

Michael m'a regardée d'un air troublé.

« Cela n'a rien à voir avec le Japon ! s'est-il exclamé. Pourquoi dis-tu ça ?

— À cause des CLARINETTISTES ! » ai-je crié.

Je m'en suis aussitôt mordu les lèvres. Je ne voulais pas parler des clarinettistes, mais j'étais tellement

bouleversée par ce que je venais d'entendre que je n'avais pas pu m'en empêcher. Une fois de plus, les mots avaient franchi ma bouche avant que mon cerveau ne les retienne.

« Tu pars et tu t'attends à ce que je passe mes samedis soir enfermée dans ma chambre jusqu'à ton retour ? ai-je demandé. Et si je n'avais pas envie de passer mes samedis soir SEULE ? Tu y as pensé à ça ?

— Mia, a dit Michael, brusquement très calme. Qu'est-ce que tu es en train de raconter ?

— Je suis en train de te raconter que je n'ai que seize ans ! ai-je explosé. Et tu pars un an ! Voire PLUS. Tu n'as pas le droit de me demander de t'attendre comme une bonne sœur pendant que toi, tu sortiras avec une CLARINETTISTE japonaise !

— Mia ! a fait Michael en secouant la tête. Je ne comprends rien à ton histoire de clarinettiste. Je ne vois pas du tout de quoi tu parles. Mais en ce qui me concerne, sache que je n'ai jamais attendu de toi que tu passes tes samedis soir toute seule chez toi. Je ne pensais pas que tu aurais envie de sortir avec d'autres garçons pendant mon absence – personnellement, je n'ai pas l'intention de sortir avec d'autres filles –, mais si toi, tu le souhaites, ce ne serait effectivement pas juste de ma part de t'en empêcher. Je croyais juste que... »

Il s'est brusquement arrêté, a secoué de nouveau la tête et a fini par dire :

« Laisse tomber. Si c'est ce que tu veux... »

Mais ce n'était PAS DU TOUT ce que je voulais !!!! C'était même la DERNIÈRE CHOSE que je voulais !

En même temps, vu la situation, je n'allais apparemment RIEN avoir de ce que je voulais. Car ce que je voulais, c'était que Michael et moi on se fasse mutuellement le don de notre petit capital – pardon, qu'on fasse l'amour – ce soir, et qu'il me dise ensuite qu'il avait finalement changé d'avis et qu'il ne partait plus au Japon.

Sauf qu'il venait de m'annoncer qu'il n'avait PLUS de petit capital à m'offrir et qu'il partirait de toute façon, qu'on le fasse ou pas.

BREF, J'AVAIS MIS EN PÉRIL MES PRINCIPES FÉMINISTES EN LUI PROPOSANT DE COUCHER AVEC LUI CE SOIR AU LIEU D'ATTENDRE LA FIN DE MES ÉTUDES SECONDAIRES, ET LUI M'AVAIT RÉPONDU : « EUH, NON MERCI. »

Enfin, plus ou moins.

Et il pensait probablement que j'allais passer l'éponge.

Ce qui explique sans doute pourquoi je l'ai regardé droit dans les yeux et que j'ai dit : « Oui,

Michael, c'est EXACTEMENT ce que je veux. Parce que si tu es capable de m'avoir caché quelque chose d'aussi énorme, ça en dit long sur notre relation. Tu n'as pas été honnête avec moi…

— TU NE M'AS JAMAIS POSÉ LA QUESTION ! a-t-il hurlé pour la première fois. Je ne pensais pas que ça comptait autant pour toi ! Je ne sais même pas où tu as trouvé cette histoire de *petit capital* ! »

Mais il était trop tard. Beaucoup trop tard.

« Le fait que tu tiennes absolument à PARTIR au Japon est la preuve que notre relation n'a jamais signifié grand-chose pour toi, ai-je déclaré.

— Mia, a dit Michael en me regardant droit dans les yeux et sans crier. Ne fais pas ça. »

Mais que pouvais-je faire d'autre ? QUE POUVAIS-JE FAIRE D'AUTRE ???

J'ai détaché le flocon de neige que je portais en pendentif, le flocon qu'il m'avait offert pour mon quinzième anniversaire, et je le lui ai tendu, comme Arwen tend son collier, l'Étoile du Soir, à Aragorn, pour qu'il ne l'oublie pas quand il part à la recherche de son trône pour prouver à son père qu'il est digne d'elle.

Sauf que ce n'était pas pour que Michael ne m'oublie pas que je lui rendais son flocon. C'est parce que je ne voulais plus le porter. Parce que, d'un seul coup, ce flocon me rappelait que Judith Gershner se trouvait là, le soir du bal.

Bon d'accord, elle était avec un autre garçon. Mais quand même, cette fille semblait être toujours dans les parages !

Pour en revenir à Aragorn et à Arwen, ce qui m'arrivait n'avait finalement rien à voir avec leur histoire. Car jamais Aragorn ne l'a fait avec une fille qui sait cloner des drosophiles. Puis a menti à son sujet.

O.K., par omission, mais bon.

Qu'est-ce que Michael m'avait caché D'AUTRE ??? Et comment pourrais-je lui faire confiance quand il sera au Japon, maintenant que je savais qu'il l'avait déjà fait et s'était bien gardé de me le dire ???

« Mia », a repris Michael d'une voix totalement différente.

Non pas enrouée, comme celle d'Aragorn, mais en colère. Très en colère. Je me suis même demandé s'il n'allait pas me frapper. Mais non, jamais Michael ne ferait une chose pareille. En même temps, il avait vraiment l'air furieux.

« Ne fais pas ça, a-t-il répété.

— Au revoir, Michael », ai-je dit.

J'ai lâché le flocon de neige par terre – parce que Michael ne voulait pas le prendre – et je me suis enfuie en courant avant d'éclater en sanglots.

Et me voilà à présent en bas de chez moi. Ephrain Kleinschmidt vient de se garer. La course coûte dix-sept dollars. Je vais lui donner un billet de vingt et lui

dire de garder la monnaie. Je lui dois bien ça, pour les Kleenex, au moins. Que j'ai fini par accepter.

Je ne vois pas comment je vais pouvoir cacher tout ça à ma mère. Si elle est encore debout.

Vous savez quoi ? Si c'est ça, l'auto-actualisation, eh bien, j'étais beaucoup plus heureuse avant de m'être auto-actualisée.

Jeudi 9 septembre, 11 heures du soir, à la maison

Maman était réveillée. Comme Lars ne m'avait pas trouvée chez Michael, il l'a appelée, et ils parlaient tous les deux au téléphone quand je suis rentrée.

Je suis dans mon lit en ce moment, avec un gant froid sur le front. Dès que ma mère m'a vue, elle a raccroché et m'a suivie dans les toilettes où j'ai vomi tout mon dîner. Je lui ai fait jurer de ne pas appeler le Dr Fung. Que pourrait-il faire, de toute façon ? Aucun remède n'existe pour le mal dont je souffre.

Jeudi 9 septembre, 11 heures 30, à la maison

D'après ma mère, ce n'est pas un problème que Michael ne m'ait pas avoué qu'il avait perdu sa virginité avec Judith Gershner. En tout cas, elle pense que ça ne mérite pas que je rompe avec lui. « Oh, Mia, ce

n'est qu'une histoire de coucherie », voilà ce qu'elle a déclaré, mot pour mot.

C'est facile pour elle de dire ça. Elle a perdu sa virginité quand elle était plus jeune que moi, avec un type qui a épousé par la suite une MISS MAÏS. Et elle est mariée maintenant à Mr. G avec qui elle file le parfait amour. Alors, bien sûr qu'à ses yeux, ce n'est qu'une histoire de coucherie. Tandis qu'aux miens, c'est MA VIE.

« Mais, maman, il m'a MENTI, lui ai-je rappelé.

— Ce n'est pas tout à fait un mensonge, Mia, a-t-elle fait remarquer. Tu lui as demandé s'il sortait avec Judith Gershner, et ils ne sortaient pas ensemble.

— Maman, voyons, SORTIR, ça veut dire COUCHER ! me suis-je exclamée.

— Depuis quand ? a-t-elle fait. Et ce n'est pas la question que tu as posée à Michael. Tu lui as demandé s'il SORTAIT avec Judith Gershner. Tu es sûre que tu ne t'es pas plutôt disputée avec lui parce que c'est plus facile pour toi d'accepter qu'il parte en étant en colère qu'en l'aimant toujours et en sachant qu'il va terriblement te manquer ? » a-t-elle alors suggéré.

Tu as tout compris, maman. Et si tu savais comme je me sens MIEUX.

Je ne lui ai pas raconté comment j'ai appris pour Michael et Judith Gershner. Que ma mère découvre mes intentions – convaincre Michael de ne plus partir en couchant avec lui – est bien la dernière chose que je lui aurais confiée. Elle serait TELLEMENT déçue de voir que sa fille a recours à des stratagèmes anti-féministes et qu'elle se sert du sexe pour manipuler les gens.

Le téléphone vient de sonner mais je n'ai pas pris la peine de regarder le nom du correspondant sur l'écran. Je sais qui sait. Qui d'autre appellerait aussi tard et courrait le risque de réveiller Rocky (même si mon frère a le sommeil si lourd qu'il continuerait de dormir au beau milieu d'une manifestation contre la guerre… ce qui lui est déjà arrivé d'ailleurs) ?

De toute façon, maman qui, elle, a décroché, a confirmé : c'était bien Michael qui s'excusait d'appeler si tard, mais comme je ne répondais pas à mon portable et qu'il tenait à savoir si j'étais bien rentrée, il n'a pas pu faire autrement.

Ma mère m'a demandé d'un signe de tête si je voulais lui parler. Il a suffi que je la regarde pour qu'elle comprenne et dise, dans le combiné : « Euh.., Michael, je ne crois pas que ce soit le moment », avant de raccrocher.

J'ai une drôle de sensation dans la poitrine, comme si elle était vide et creuse. Je me demande si c'est parce que j'ai vomi tout mon repas ou si c'est parce que mon cœur est brisé en tellement de morceaux qu'il a pratiquement disparu.

Jeudi 9 septembre, minuit moins le quart

Michael vient de m'envoyer un e-mail.

Skinnerbx : Mia, je ne comprends pas ce qui s'est passé ce soir. Si j'apprécie Judith Gershner, elle n'a jamais compté pour moi et ne comptera jamais. Comment peux-tu penser que le fait que j'aie couché avec elle il y a deux ans, AVANT QU'ON SORTE ENSEMBLE TOUS LES DEUX, puisse représenter une raison valable pour rompre ? Si c'est ce que tu viens de faire, ce dont je ne suis pas absolument certain. Tu étais tellement bizarre ce soir ! Quant à espérer que tu m'attendrais pendant que je serais au Japon… je ne peux pas nier que cela ne m'a pas traversé l'esprit, sachant que l'une des raisons pour lesquelles je pars, c'est justement pour améliorer les chances d'avoir un avenir ensemble. Mais peut-être est-ce trop te demander, peut-être n'ai-je pas le droit de le faire ? Je ne sais pas. Je ne comprends rien à ce genre de choses. Est-ce que tu pourrais m'appeler ou

me répondre pour m'expliquer ? Car je suis dans le noir le plus total. Et puis, c'est tellement stupide.

Ben voyons ! Qu'est-ce qu'il y a de si stupide dans le fait de vouloir que son petit ami partage avec soi une relation fondée sur la franchise et ne parle pas de sa première expérience sexuelle comme d'un « simple flirt ». Bon, d'accord, elle avait déjà un copain. Mais c'est pire ! Michael flirtait avec une fille qui flirtait dans le DOS DE SON PETIT COPAIN ! Et JUDITH GERSHNER????? Comment a-t-il pu coucher avec JUDITH GERSHNER et ne pas me le DIRE ???????

Quelle idiote je fais. J'aurais dû m'en douter. Tous les signes étaient là. Quand elle a posé son bras autour de sa chaise. Quand elle a mangé son pain à l'ail. Je n'arrive pas à croire que j'aie pu être aussi aveugle.

Et je n'arrive pas à croire que Michael ait gâché son petit capital avec ELLE alors qu'il ne l'aimait même pas.

À QUOI PENSENT LES GARÇONS ?????

Oh, oh. Quelqu'un m'envoie un mail. C'est… ah, c'est Tina.

Cœuraimant : Mia, où es-tu ? Tu lui as donné ton petit capital ? Il part toujours au Japon ? Dis-moi ce qui se passe ?

Il FAUT que je lui réponde. Il FAUT que je lui raconte.

FtLouie: Michael m'a dit qu'il partirait au Japon qu'on le fasse ou pas. Et il a déjà donné son petit capital à Judith Gershner!!!!!

Cœuraimant: !!!!!!!!!!!!!!!!!!!!

Merci, Tina. Comme je t'aime.

FtLouie: JE SAIS!!!!!

Cœuraimant: MAIS IL NE L'AIMAIT PAS!!!!!!

FtLouie: Il m'a dit que ça ne signifiait rien pour lui, qu'ils «flirtaient, c'est tout». Tina, qu'est-ce que je vais faire????? Comment a-t-il pu ne pas me le dire?????

Cœuraimant: Mais il TE l'a dit.

FtLouie: Un peu tard!!!!

Cœuraimant: Mais il l'a dit quand même.

FtLouie: Tina, il ne l'aimait même pas!!!!!

Cœuraimant: Souvent, dans les romans d'amour, le héros couche avec plusieurs femmes qui ne représentent rien pour lui avant de rencontrer l'héroïne.

FtLouie: AVEC JUDITH GERSHNER??????

Cœuraimant: Non, bien sûr. Mais ça donne PLUS de sens à l'acte quand il le fait avec l'héroïne. Parce que c'est tellement mieux avec la personne qu'on aime.

FtLouie: COMMENT OSES-TU PRENDRE SA DÉFENSE???? De toute façon, même si on l'avait fait, il serait parti au Japon!!!!

Cœuraimant: Tu as raison d'être en colère. Mais est-ce que tu as vraiment rompu????

FtLouie: Je lui ai rendu son flocon de neige.

Cœuraimant: Mia!!!!!! NON!!!!!!!

FtLouie: MAIS TINA, IL M'A MENTI!!!!!!!!!!!

Cœuraimant: Non, il te l'a dit. Après.

FtLouie: Là n'est pas la question. Tu imagines que JUDITH GERSHNER L'A TOUCHÉ AVANT MOI?????

Cœuraimant: Lilly aussi l'a touché avant moi.

FtLouie: Mais Lilly est ton amie. Et puis, Boris et Lilly ne sont pas allés jusqu'au bout. Et Boris ne part pas au Japon et ne te laisse pas seule pendant un an. Voire PLUS!!!!

Cœuraimant: C'est vrai. Oh, Mia, je suis désolée, mais il faut que je te laisse. Mon père est en train de crier. J'ai épuisé mon quota de mails pour le mois. A +

Tina est un amour. Elle risque la colère de son père pour me soutenir. C'est une vraie amie.

En parlant d'amie… comment pourrais-je affronter Lilly demain?

C'est impossible.

MOI, UNE PRINCESSE ? À D'AUTRES !
Scénario écrit par
Mia Thermopolis
(première mouture)

Scène 24

INT/NUIT

Un appartement confortable et richement meublé sur la 5e Avenue à New York. MIA THERMOPOLIS, fraîchement maquillée et coiffée, entre. Sa meilleure amie, LILLY MOSCOVITZ, une fille un peu ronde qui ressemble à un carlin, ouvre de grands yeux étonnés.

LILLY
Qu'est-ce qui t'est arrivé ?

MIA, *en retirant son manteau, l'air de rien*
Ma Grand-Mère m'a emmenée chez ce coiffeur, Paolo et…

LILLY, *en état de choc*
Tu as les cheveux de la même couleur que Lana Weinberger. Et qu'est-ce que tu as aux ongles ? Ce sont des faux ? Comme Lana !

Mia, c'est affreux, tu es en train de te transformer
en Lana Weinberger !

MIA, *incapable d'en supporter davantage*
Lilly, tais-toi.

MICHAEL, *en sortant de sa chambre, torse nu*
Ouah.

LILLY
Qu'est-ce que tu viens de me dire ?

MIA
Tu sais quoi, Lilly ? Je suis la princesse de Genovia.
Et je serai TOUJOURS princesse, que je le veuille
ou non. Et en tant que princesse, j'estimerai
toujours les qualités de princesse chez les autres,
comme l'honnêteté, le respect de soi et le principe
qui veut qu'on ne le fasse pas avec des gens
qu'on n'aime pas. Sur ce, au revoir.

MICHAEL
Ouah.

Mia sort en claquant la porte. LILLY et MICHAEL échangent des regards étonnés.

Vendredi 10 septembre, 1 heure du matin, à la maison

Dire que pendant tout ce temps – et peut-être même avant que j'apprenne que j'étais princesse –, Michael couchait avec Judith Gershner et que je ne le savais pas.

Maintenant, je sais.

Vendredi 10 septembre, 1 heure et demie du matin, à la maison

COMMENT VAIS-JE POUVOIR VIVRE SANS LUI ?????????

Vendredi 10 septembre,
2 heures et quart du matin, à la maison

Il faut que je sois forte. IL LE FAUT. Il m'a MENTI. Il m'a dit que c'était peut-être une bonne idée qu'on FASSE UN BREAK.

Je ne peux pas le laisser s'en sortir comme ça.

Peut-être qu'écrire un peu de poésie m'aidera.

Tu penses que je renonce à toi
pour de quelconques principes féministes à la gomme
Toi, dont la tête devrait être
couronnée de lauriers argentés.

N'es-tu pas un homme
N'es-tu pas le plus beau
Ne portes-tu pas un costume et une cravate
N'as-tu pas de grands pieds et une poitrine poilue ?

Pourtant, tu as ouvert la porte de ma cage
Et tu m'as laissée prendre mon envol
Tu penses que cela me servira de leçon
Et que je te reviendrai, contrite.

Ma liberté retrouvée, cependant,
J'ai disparu de ton paysage
Peut-être n'en rencontrerai-je pas de plus beau
Car aucun n'arrive à ta cheville.

Oh, notre amour était si tragique
J'ai pleuré avec passion, avec rage
Jusqu'à ce que tu me laisses partir
et que je découvre que je préfère rester seule.

Mon Dieu, comme j'aimerais que cela soit vrai.
Michael ! Mon sauveur chéri !

Vendredi 10 septembre, 3 heures du matin, à la maison

Cher Michael,
Je voulais juste te dire…

Cher Michael,
Pourquoi a-t-il fallu que tu...

Cher Michael,
POURQUOI ??????

Vendredi 10 septembre, 4 heures du matin, à la maison

Michael ! Mon espoir ! Mon amour ! Ma vie !

Vendredi 10 septembre, dans la limousine, en chemin pour l'école

Je n'en reviens pas que ma mère m'ait obligée à aller en cours aujourd'hui.

Je lui ai pourtant dit que j'avais le cœur brisé. Je lui ai dit que je n'avais pas FERMÉ L'ŒIL DE LA NUIT. Je lui ai dit que je n'arrêtais pas de pleurer. En fait, je pleure non-stop depuis hier soir.

Mais autant s'adresser à un mur. Tout ce que ma mère a trouvé à me répondre, c'est : « Tu as rompu avec Michael, ce n'est pas lui qui a rompu avec toi. Aussi, je ne te laisserai pas gémir au fond de ton lit toute la journée. »

C'est curieux, mais j'ai l'impression qu'elle prend le parti de Michael. Ce n'est pas possible, n'est-ce pas ? C'est MA mère et pas la sienne. En plus, elle a refusé d'appeler Lilly pour lui dire d'aller au lycée par ses propres moyens. J'ai eu beau la supplier, lui confier que j'avais peur que Michael ne lise mon nom sur l'écran de leur téléphone et décroche, elle a tenu bon.

Bien sûr, ça m'embête de faire faux bond à Lilly, mais PAS QUESTION que je voie Michael ce matin. Parce que je sais très bien qu'il m'attendra sur le trottoir, en bas de chez lui : il me l'a écrit dans le mail qu'il m'a envoyé ce matin :

Skinnerbx : Je ne comprends toujours pas ce que tu me reproches. En quoi le fait d'avoir couché avec quelqu'un avant de te connaître est-il un crime ? Je peux comprendre que tu sois bouleversée par mon départ au Japon, mais je ne sais pas combien de fois je vais devoir t'expliquer que je le fais en partie pour NOUS. Lilly m'a raconté que Boris avait dit quelque chose sur des clarinettistes, l'autre jour au réfectoire. J'en conclus donc que ta tirade vient de là, mais ça ne m'éclaire pas plus. Cela dit, si tu as envie de sortir avec des garçons pendant mon absence, je ne peux pas t'en empêcher. Ce serait peut-être même une bonne chose. Écoute, il faut qu'on parle. Je t'attendrai avec

Lilly en bas de chez moi avant que tu ailles en cours. On aura peut-être le temps de prendre un café ?

Du coup, j'ai appelé Lilly (sur son portable pour que Michael ne décroche pas) et je lui ai expliqué que je ne pouvais pas passer la prendre ce matin.

« PDG ? a fait Lilly, d'une voix méfiante. C'est toi ?

— Ou-oui, ai-je bégayé.

— Attends, mais tu PLEURES ? a dit Lilly.

— Ou-oui, ai-je répondu, car c'était la vérité.

— Que se passe-t-il ? a continué Lilly. Et qu'est-ce que tu as fait à mon frère ? Je ne l'ai jamais vu comme ça. Tu l'as vraiment largué ? Parce que c'est ce qu'il dit.

— Il… il… », ai-je commencé.

Mais c'était désespéré. Je n'arrivais même pas à articuler tellement je pleurais.

« Mon Dieu, Mia, a repris Lilly qui paraissait, pour une fois dans sa vie, inquiète pour moi. Tu m'as l'air d'être dans un pire état que lui. QUE SE PASSE-T-IL ?

— Je… je… je ne peux pas… te… parler pour l'instant, ai-je hoqueté.

— Très bien, a fait Lilly. Écoute, je ne sais pas ce qui vous arrive, mais tu lui as brisé le cœur. La seule raison pour laquelle je ne débarque pas chez toi pour te botter les fesses, c'est parce que je me rends compte que tu ne vas pas mieux que lui. Mais tu *dois*

lui parler. Juste lui *parler*. Je suis sûre que vous pouvez vous en sortir rien qu'en PARLANT. O.K. ? »

Je n'ai même pas eu la force de lui répondre.

Mais si j'avais pu, j'aurais répondu : « C'est trop tard, Lilly. Tout a été dit. »

Parce que c'était le cas.

Il me manque tellement. Et il n'est pas encore parti.

Vendredi 10 septembre, pendant le cours sur l'Intro à la création littéraire

MOI, UNE PRINCESSE ? À D'AUTRES !
Scénario écrit par
Mia Thermopolis
(seconde mouture)

Scène 12

INT/JOUR

Le Palm Court – le salon de thé du Plaza – à New York. Une adolescente plate comme une limande avec des cheveux qui rebiquent (MIA THERMOPOLIS, âgée de quatorze ans) est assise en face d'un homme chauve (son père, le PRINCE PHILIPPE). À l'expression de MIA, on comprend que son père lui annonce une terrible nouvelle.

Prince Philippe
Tu n'es plus Mia Thermopolis, chérie.

Mia, *en clignant des yeux, étonnée*
Qui suis-je, alors ?

Prince Philippe
Tu es Amelia Mignonette Thermopolis Renaldo, la princesse de Genovia.

Mia, *en se levant de table et en sortant un pistolet de type Uzi de son sac à dos*
Attention, papa !

Des NINJAS descendent du plafond à l'aide de cordes. MIA renverse la table, faisant voler les tasses à thé. Puis elle mitraille la salle avec son Uzi. Les TOURISTES et les SERVEURS se jettent à terre pour se protéger. Le PRINCE PHILIPPE, terrifié, se cache derrière un pot de fleurs. MIA se débarrasse de son UZI, qui s'est enrayé, et se bat à mains nues contre les NINJAS, qu'elle élimine un à un, comme dans le film *Serenity, l'ultime rébellion*.

Finalement, le calme revient. Tous les NINJAS gisent au sol. Les TOURISTES et les SERVEURS se relèvent. L'un d'eux se met à applaudir, bientôt suivi de tous les autres. MIA se dirige vers le PRINCE

PHILIPPE et lui tend la main pour l'aider à se relever. Il hésite à la prendre puis finit par se laisser faire.

PRINCE PHILIPPE *reconnaissant*
Mia, où as-tu appris…

MIA *l'air de rien*
J'ai suivi un entraînement de *demonkiller*
pour le Vatican pendant deux ans, papa.
Tu ne le savais pas ?

PRINCE PHILIPPE
Non, je ne savais pas. Je me suis complètement
trompée sur toi, Mia. Tu n'es pas seulement
une princesse.

MIA
Non, papa, je ne suis pas que princesse.

Note : E

Ce que vous avez écrit est certes plein d'imagination, mais est totalement hors sujet puisque je vous avais demandé de décrire votre animal préféré.

C. MARTINEZ

Vendredi 10 septembre, en anglais

Ça va ?

Je crois, oui. Merci, Tina.

Tu as l'air bien... pâle. Et tu as les yeux rouges.

Je n'ai pas vraiment dormi cette nuit.

Tu lui as parlé ? À Michael, je veux dire.

Non. Pas en personne, du moins.

Il ne t'a pas téléphoné ? Ou envoyé de mails ?

Si, si, mais je ne lui ai pas répondu. Qu'est-ce que tu voulais que je dise ?

Oui, je comprends. Mais s'il s'excusait, est-ce que tu lui pardonnerais ?

Il n'a pas l'intention de s'excuser, Tina. Il ne voit pas ce qu'il a fait de mal !!!

Mais ce n'est pas possible ! Ça ne peut pas être FINI entre vous. Vous vous aimez trop !!!!!!

Michael pense que c'est peut-être mieux comme ça. C'est ce qu'il a dit dans un de ses mails. Qu'on sorte chacun de notre côté pendant son absence.

IL A DIT ÇA ????????

En fait, il n'a pas dit qu'IL envisageait de sortir avec d'autres filles, mais que si moi, je le faisais, ça ne le gênait pas.

Attends, il a VRAIMENT dit ça?

Oui. Enfin, il a dit qu'il ne pouvait pas m'en empêcher.

Oh, Mia! Je ne sais pas quoi répondre, mais... peut-être qu'ils se trompent dans le livre de ma tante, tu sais *Ton petit capital*. Parce que dans mes romans d'amour préférés, comme *Le Cheik et sa secrétaire* et *Le Cheik et sa promise*, les cheiks l'avaient déjà fait et ça ne posait pas de problème à leurs petites amies.

Je ne voulais pas écrire ce que j'ai écrit ensuite, je le jure. Mais il fallait que quelqu'un le fasse. Tina ne peut pas continuer à vivre dans son monde de rêves pendant le restant de sa vie. Non, elle ne peut pas. Du coup, j'ai répondu:

Tina, il s'agit de LIVRES.

Mais Tina s'est accrochée.

Ton petit capital est un livre aussi. Comment expliques-tu alors qu'il dit vrai et pas les livres des cheiks?

Tina, aucun de tes cheiks ne l'a fait avec Judith Gershner et a MENTI ensuite. Aucun de tes cheiks

n'a inventé un robot et part pour le Japon pendant un an. Voire plus. Et si c'était le cas, ils emmèneraient leur secrétaire ou leur promise avec EUX.

Je sais. Je me disais juste que tu pouvais peut-être donner une seconde chance à Michael.

Comment veux-tu que je le fasse ? Chaque fois que je pense à lui maintenant, je le vois avec la langue de Judith Gershner dans sa bouche. Et c'est la vision la moins dégoûtante que j'aie de tous les deux.

Oui, bien sûr. Ça m'a fait la même impression quand j'aie su pour Lilly et Boris, mais ça passe au bout d'un moment, crois-moi. Dans quelques jours, tu ne verras plus Judith Gershner quand tu penseras à Michael.

Merci, Tina, je comprends ce que tu veux dire. Mais le problème, c'est que dans quelques jours – non, dans quelques HEURES –, Michael sera parti. À jamais, peut-être !

Oh, Mia ! Je suis tellement désolée ! Je ne voulais pas te faire pleurer !

Ce n'est pas toi, Tina. C'est moi. Je… Je…

C'est bon, Mia. Ne te sens pas obligée de me répondre. Je ne t'embêterai plus avec ça.

Mon Dieu. Comment ai-je pu en arriver là, à PLEURER en cours d'anglais ????

Dans un certain sens, je préférerais que Michael soit un cheik et moi sa secrétaire ou sa promise. Je sais, ce n'est pas très féministe de ma part de penser ça. Mais s'il me renvoyait dans sa tente au milieu du désert au lieu de partir pour le Japon, je saurais au moins qu'il m'aime.

Vendredi 10 septembre, en français

Mia ? C'est vrai ?

Oui, Yan, c'est vrai. Michael m'a avoué qu'il avait couché avec Judith Gershner, il part au Japon et on a cassé. Tu imagines dans quel état je suis. Aussi comme je n'ai pas envie d'éclater en sanglots pendant le cours de français, je préférerais ne pas en parler.

En fait, ce n'est pas à ça que je faisais allusion. Je pensais aux tsunamis. C'est vrai que tu saurais quoi faire s'il y en avait un qui frappait New York ?

Ah. Oui, c'est vrai, je saurais.

Je suis désolée pour Michael et toi. Je n'étais pas au courant. Du coup, te voilà célibataire.

Je n'y avais pas réfléchi, mais oui, tu as raison : me voilà célibataire.

`Tu veux venir passer la soirée chez moi ?`

Merci, Yan, mais je crois que je vais rentrer directement à la maison après les cours et me coucher. Ce n'est pas la grande forme, pour tout te dire.

`Comme tu veux. J'espère que ça ira mieux demain !`

Merci.

Il faut que je finisse mon texte sur la palpitante soirée.

D'après la chaîne 12, nous avons donc appris que le plus grand mérite de la femme, ce n'était pas sa carrière, car une femme qui pense d'abord à sa carrière n'aime ni ses enfants ni son mari, et n'est pas une bonne chrétienne. C'est une serveuse du diable ! Non, le plus grand mérite de la femme, c'était sa capacité à nourrir les siens.

Après avoir entendu cette tirade, nous nous sommes regardés, mes camarades et moi, et sans nous concerter, nous avons aussitôt changé de chaîne. Ah là là là ! Quelle histoire !

93 mots + 99 = 192 mots !!!!!!

Encore 8 mots et c'est bon !

Oh, une minute. Le titre et MON NOM :

Une soirée palpitante

par

Amelia Mignonette Renaldo Thermopolis

Ce qui me fait le compte !!!!!

J'ai au moins réussi une chose aujourd'hui.

Vendredi 10 septembre, juste avant d'arriver à la cafétéria

Mon portable a sonné au moment où je suis arrivée devant le réfectoire. C'était un texto de Michael :

Mia, je vais passer pour essayer au moins de m'expliquer, même si je ne vois toujours pas ce que j'ai fait de mal.

De quoi parle-t-il : *je vais passer.*

Je suis au lycée.

Et comment peut-il dire qu'il ne *voit toujours pas ce qu'il a fait de mal* ???

Vendredi 10 septembre, pendant le déjeuner

Vous savez quoi ? Je m'en fiche qu'ils me regardent TOUS avec des yeux ronds. C'est le plat le plus succulent que j'aie jamais mangé dans cette cafétéria. Si j'avais su que les cheeseburgers étaient aussi bons, j'en aurais mangé il y a longtemps.

Je m'en fiche, je vous ai dit, même si ça me fait de la peine pour les animaux. Que voulez-vous ? On vit dans un monde cruel. Parfois, on est l'essuie-glace. Parfois, on est l'insecte. C'est tiré d'une chanson que ma mère adore.

Si la réincarnation existait, je reviendrais probablement sous la forme d'une vache, et je passerais ma vie entière dans une petite étable où je serais à l'étroit jusqu'à ce que quelqu'un arrive, un jour, me donne un coup sur la tête puis me dépèce, réservant ma peau pour en faire une mini-jupe en cuir et ma chair pour des hamburgers, et une fille dont le petit ami aurait donné son petit capital à Judith Gershner me mangerait, et ce serait vraiment trop bête pour moi. Mais c'est comme ça, c'est le cycle de la vie.

Ouah ! Serais-je devenue nihiliste ? D'après Lilly, oui. Elle a même du mal à le croire.

« Un cheeseburger ? s'est-elle exclamée quand elle a vu mon plateau. Tu manges un CHEESE-BURGER ?

— Oui. Je ne vois pas où est le problème », ai-je répondu.

Et c'était la vérité. Je ne voyais pas du tout où était le problème. Je vous l'ai dit, je suis devenue nihiliste.

« Tu te disputes avec mon frère, tu romps et tu te mets à manger de la viande, a repris Lilly. Il a raison. Tu fais vraiment n'importe quoi. »

J'ai aussitôt posé mon hamburger sur mon assiette.

« C'est ce qu'il a dit ? » ai-je demandé.

Peu m'importait d'avoir cette discussion en présence de tout le monde – J-P, Boris, Ling Su, Tina et Yan. Qu'est-ce que j'en avais à faire puisque plus rien ne comptait pour moi.

« Michael dit que je fais n'importe quoi ? ai-je répété.

— Plus ou moins, a répondu Lilly. Et le fait que tu manges un cheeseburger en ce moment le prouve. Ça fait six ans que tu n'as pas avalé un seul morceau de viande !

— Eh bien, il est peut-être temps de recommencer, ai-je répliqué. Si j'avais mangé plus de pro-

téines pendant tout ce temps, je n'aurais peut-être pas pris toutes ces décisions stupides.

— À laquelle fais-tu allusion ? a demandé Lilly d'un ton acide.

— Ça suffit, Lilly », est intervenu J-P, doucement mais fermement.

Lilly a sursauté. Elle n'est pas habituée à ce que J-P s'immisce dans ses conversations avec moi.

Mais il était trop tard. Mes yeux s'étaient emplis de larmes. À nouveau.

Finalement, je ne devais pas être si nihiliste que ça.

« S'il pense que je fais n'importe quoi, ai-je repris en m'adressant à Lilly, des sanglots dans la voix, alors IL N'A RIEN COMPRIS DU TOUT. JE NE FAIS PAS N'IMPORTE QUOI. JE N'Y ARRIVE PLUS, C'EST TOUT.

— Tu n'arrives plus à quoi ? a voulu savoir Lilly. À avoir un petit ami qui t'aime tellement que, pendant tes vacances à Genovia, il a mis au point une découverte fantastique qui risque de changer la face du monde médical, et ce dans le seul but de prouver qu'il est digne de toi. Sauf que tu as préféré rompre quand il t'a expliqué que pour y arriver, il devait partir pendant quelque temps ? »

J'ai foudroyé Lilly du regard, même si ce n'était pas évident à faire quand on se retient de ne pas pleurer en même temps.

« Ce n'est pas ça, ai-je dit, et tu le sais.

— Ah, oui, bien sûr. C'est parce que pendant tout ce temps, il ne t'a pas dit quelque chose qu'il SAVAIT que tu ne pouvais pas comprendre et qui te rendrait folle, car c'est dans ta nature de piquer une crise pour des broutilles, et il voulait t'épargner.

— Ce qu'il m'a avoué n'était pas des BROUTILLES, ai-je fait remarquer d'une voix tremblante.

— Je t'en prie, Mia, a lâché Lilly. Tina m'a parlé de ce livre idiot que sa tante lui a donné. Es-tu ignorante au point de ne pas savoir que cette histoire de “petit capital” a été inventée par les hommes pour surveiller les femmes afin qu'elles limitent le nombre de leurs partenaires sexuels, et par conséquent leur garantissent la légitimité de leur progéniture ?

— Une minute, ai-je dit. Quel mal y a-t-il à vouloir faire l'amour pour la première fois avec un garçon qu'on aime ?

— Aucun, a répondu Lilly, tu as tout à fait le droit de vouloir agir de la sorte. Mais CONDAMNER quelqu'un qui ne partage pas nécessairement ton point de vue ? Ce n'est pas mieux que ces juges fondamentalistes en Iran qui condamnent les femmes à

être enterrées jusqu'au cou puis à être lynchées. Car cela revient à punir quelqu'un qui ne partage pas TA morale. »

J'ai fondu en larmes à ces mots. Comment Lilly osait-elle ME comparer à ces juges fondamentalistes ? Mais elle a continué sur sa lancée :

« Pourquoi ne reconnais-tu pas la VRAIE raison de ta dispute avec Michael, Mia ? Tu es folle de rage parce qu'il refuse de t'obéir au doigt et à l'œil et de rester à New York. Parce que c'est un esprit libre et qu'il veut s'en servir pour faire quelque chose de SA vie. C'est la vraie raison. N'essaie pas de le nier ! »

J-P s'est levé à ce moment-là, il a attrapé Lilly par le bras et a dit : « Viens. On va faire un tour », avant de l'entraîner hors de la cafétéria.

Et c'est aussi à ce moment-là que je me suis mise à pleurer pour de bon. Je ne sanglotais plus, je ne hoquetais pas. Je pleurais en silence sur les restes de mon hamburger.

Et voilà. Je suis devenue une mangeuse de viande pathétique et éplorée.

« Ne pleure pas, Mia, a déclaré Boris en me tapotant l'épaule. Moi, je trouve que tu as raison. Sortir avec quelqu'un qui part vivre à l'autre bout du monde, ça n'a jamais marché. Il vaut mieux rompre.

— Boris, a dit Tina, d'une voix agacée.

— Non, Tina, suis-je intervenue. Il a raison. »

Ce qui était vrai.

Mais j'aurais tellement aimé que ce ne soit pas le cas.

Là-dessus, je me suis levée et je suis allée me chercher du bacon pour finir mon cheeseburger.

Vendredi 10 septembre, en étude dirigée

J'ai failli ne pas venir. D'une part, parce que je me sentais mal à cause du hamburger (je n'aurais pas dû reprendre du bacon), et d'autre part parce que je ne voulais plus voir Lilly. Surtout sans J-P pour la contrôler.

Mais sécher n'aurait fait qu'aggraver ma situation. Un passage aujourd'hui chez la principale Gupta aurait été la goutte d'eau qui fait déborder le vase.

Heureusement que l'infirmière m'avait donné des comprimés pour faciliter la digestion la dernière fois que j'étais allée la voir. Ils m'ont bien aidée.

En tout cas, quand je suis arrivée devant la salle d'étude dirigée, j'étais bien contente de ne pas avoir séché, car la première chose que j'ai vue, c'est Lilly. EN LARMES.

Attention, je ne suis pas en train de dire que j'étais contente de voir Lilly pleurer. J'étais contente car de toute évidence, elle allait avoir besoin de moi. Il s'était passé quelque chose. Quelque chose d'ÉNORME.

Boris se tenait près d'elle, l'air complètement paniqué. Évidemment, j'ai tout de suite pensé qu'elle pleurait à cause d'une parole malheureuse qu'il lui aurait dite. Boris peut être tellement maladroit parfois. Cela dit, depuis qu'il sort avec Tina, il s'améliore. Mais bon.

« Qu'est-ce que tu lui as fait ? ai-je demandé.

— Rien ! s'est-il exclamé. Elle était dans cet état-là quand je suis arrivé. »

Qu'est-ce qui avait bien pu se passer ? Cela ne pouvait pas être en rapport avec Michael et moi. Jamais Lilly ne pleurerait pour quelque chose qui nous concerne, son frère et moi. De toute façon, rien ne ferait pleurer Lilly sauf...

« Lilly, ai-je dit, d'une voix tremblante. Est-ce que Lana Weinberger s'est finalement décidée à se présenter aux élections des délégués de classe ?

— Non ! a répondu Lilly entre deux sanglots. Qu'est-ce que tu peux être bête ! Tu crois que je pleurerais pour *ça* ? »

Je l'ai regardée sans comprendre.

« C'est quoi, alors ? ai-je demandé.

— Je ne veux pas en parler », a-t-elle répliqué tout en jetant un coup d'œil appuyé à Boris.

Mettant en pratique les leçons de tact que Tina lui avait apprises, Boris a alors déclaré :

« Bon. Je crois que je vais aller travailler mon violon », et il s'est enfermé dans son placard.

« O.K. Il est parti, ai-je dit à Lilly. Maintenant, raconte-moi tout. »

Lilly a inspiré profondément puis elle a levé les yeux et a parcouru la salle du regard – ce qui a eu pour effet de faire aussitôt baisser la tête à tous, comme si d'un seul coup, ils s'intéressaient à leurs projets respectifs, ce qui n'arrive JAMAIS quand Mrs. Hill n'est pas là, ce qui était le cas justement –, et a dit :

« C'est fini entre J-P et moi.

— *Quoi ?* me suis-je écriée, sous le choc.

— Tu as bien entendu, a fait Lilly en séchant ses larmes du revers de la main, laissant une longue traînée de mascara le long de sa joue. Il vient de casser. »

J'ai tiré la chaise qui se trouvait à côté de Lilly et je m'y suis assise.

« Tu plaisantes », ai-je dit, parce que c'est la seule chose qui m'est venue à l'esprit.

Mais devant les larmes qui continuaient de s'écouler des ses yeux, j'ai compris qu'elle ne plaisantait pas.

« Mais pourquoi ? ai-je demandé. Et quand te l'a-t-il annoncé ?

— À l'instant, a répondu Lilly. Sur les marches, à côté de Joe. »

Joe est le lion en pierre qui se trouve en bas des marches, devant l'entrée principale du lycée.

« Il m'a dit qu'il était très embêté mais qu'il n'éprouvait pas les mêmes sentiments que moi, a-t-elle repris. Il m'apprécie en tant qu'amie mais il ne m'a jamais aimée ! »

Je n'arrivais pas à décrocher mon regard de Lilly. D'une certaine façon, ce qu'elle vivait était pire que ce que Michael m'avait fait. Après tout, Michael n'avait *que* couché avec Judith Gershner. Jamais il ne m'avait dit qu'il ne m'aimait pas.

« Oh, Lilly, ai-je murmuré. Je suis désolée.

— Et moi donc ! a-t-elle déclaré en s'essuyant de nouveau les yeux. Comme je m'en veux d'avoir refusé d'admettre ce que je soupçonnais depuis un moment déjà ! »

J'ai froncé les sourcils.

« Que veux-tu dire par là ? ai-je demandé.

— Quand je lui ai dit pour la première fois que je l'aimais et qu'il m'a répondu "merci", j'aurais dû y

voir un signe. C'était la preuve qu'il n'était pas sur la même longueur d'onde que moi !

— Mais souviens-toi qu'on a tous pensé qu'il t'avait dit "merci" parce qu'il n'était pas habitué à ce qu'une fille comme toi soit attirée par lui, ai-je rappelé à Lilly. Tina a même….

— Oui, elle l'a comparé à la Bête de *La Belle et la Bête*, qui n'a aucune expérience de l'amour humain et n'est pas certain de savoir y répondre. Tu veux que je te dise ? Tina se trompait. Ce n'est pas que J-P n'était pas certain de savoir répondre à mon amour. Il ne m'aimait pas tout simplement et ne voulait pas me blesser en me l'avouant. Il vient de le faire.

— Ce n'est pas possible ! me suis-je exclamée. Il a dû penser que…

— Qu'il finirait par m'aimer un jour ? m'a coupée Lilly avec un sourire amer. Peut-être, sauf que ça n'a pas marché. »

J'aurais pu tuer J-P à ce moment-là. Je le jure. Comment pouvait-il faire subir ça à Lilly. Et au lycée, en plus ! C'est vrai, quoi ! Il aurait pu attendre d'être seul avec elle pour lui annoncer la nouvelle et lui permettre de pleurer en privé. Mais qu'est-ce qui clochait chez les garçons ?

Franchement, j'aurais pu le tuer.

Je me suis rendu compte que je parlais tout haut quand j'ai senti la main de Lilly sur mon bras et que je l'ai entendue me dire :

« Non, Mia. Ne fais pas ça. »

Je l'ai regardée, surprise.

« Ne pas faire quoi ? ai-je demandé.

— Ne va pas le voir. C'est ma faute. Je... je le savais depuis longtemps qu'il ne m'aimait pas.

— *Quoi ?* » me suis-je écriée.

J'avais déjà entendu ça. Quand les victimes se reprochent quelque chose que leur bourreau leur a fait. Mais Lilly ne pouvait pas être comme ça. Pas Lilly, quand même.

« Qu'est-ce que tu veux dire par "je savais" ? ai-je demandé. C'est clair que tu ne savais pas, sinon tu n'aurais pas...

— Si, je savais, a insisté Lilly, la voix rauque à force de pleurer. Quand je me suis fait la réflexion que jamais il ne m'avait dit qu'il m'aimait, j'ai pensé que quelque chose n'allait pas entre nous. Mais je... eh bien, comme tu l'as dit... j'espérais qu'il finirait par apprendre à m'aimer. Du coup, je suis restée, au lieu de rompre, comme j'aurais dû. Ce n'est pas sa faute. Il a essayé, Mia, il a vraiment essayé. Et c'est très fair-play de sa part de ne pas avoir cherché à aller plus loin. Il aurait facilement pu en profiter, mais il ne l'a pas fait.

— Une minute, ai-je dit brusquement. Est-ce que ça signifie que vous ne l'avez pas... »

Lilly a plissé les yeux.

« Joli coup, PDG, a-t-elle susurré. Je suis à terre, mais pas K.O. On a toujours les élections à remporter. »

Je me suis effondrée sur la table.

« Lilly, ai-je murmuré. Je ne peux pas, je te le jure. Tu ne vois pas à quel point je suis brisée ?

— Moi aussi, je suis brisée, a aussitôt rétorqué Lilly, sur la défensive. Mais je suis encore capable de FONCTIONNER. Une femme sans homme, c'est comme un poisson sans bicyclette. »

Je déteste cette expression. En plus, je suis sûre que les poissons adoreraient circuler à bicyclette, s'ils avaient des jambes.

D'une voix super douce, Lilly a alors ajouté :

« Au fait, PDG, au sujet de mon frère et de toi. Je suis désolée.

— Merci, ai-je répondu.

— Mais je ne comprends toujours pas, a-t-elle continué.

— Bien sûr que tu ne comprends pas, ai-je murmuré tristement. Tu es sa sœur. Tu prends son parti.

— Je suis peut-être sa sœur, mais tu es ma meilleure amie, m'a-t-elle rappelé. Excuse-moi, mais je ne peux pas m'ôter de l'esprit que tout ça est un terrible

gâchis. Je sais que tu lui en veux, mais franchement… qu'est-ce qu'il a fait de mal ? Il a couché avec Judith Gershner ? Où est le problème ? Il ne l'a pas fait PENDANT que vous sortiez ensemble !

— Où est le problème ? ai-je répété. Je… je… jamais je n'aurais imaginé que Michael était le genre de garçon à coucher avec une fille qu'il n'aime pas ! Et n'oublie pas qu'il m'a menti, ensuite. Je sais, tu penses que je lui impose mes convictions, mais dans mon esprit, Michael et moi, on partageait les mêmes convictions. Et maintenant, je découvre qu'il est comme… comme Josh Richter !

— Josh Richter ! s'est exclamée Lilly en roulant des yeux. Je t'en prie, Mia. Comment peux-tu comparer mon frère à Josh Richter ?

— Parce que coucher avec une fille que tu n'aimes pas, c'est… c'est quelque chose que Josh Richter fait, ai-je répondu.

— Non. C'est seulement une chose que Josh Richter fait quand la fille a le béguin pour lui, qu'il le sait et qu'il en profite, pour au bout du compte la blesser », a rétorqué Lilly.

J'ai relevé la tête et je l'ai observée.

« Tu veux dire que J-P et toi… », ai-je demandé en cherchant à paraître la plus affectée possible.

Lilly s'est contentée de me jeter un regard perçant.

« Encore une fois, joli coup, Mia, a-t-elle dit. Mais je ne tomberai pas dans le piège. »

Raté.

« Mia, a-t-elle repris, tu ne vas pas te prendre la tête à cause de toutes les filles avec qui Michael est sorti, tout de même ? »

À mon tour, je lui ai adressé un regard perçant.

« Que veux-tu dire par “toutes les filles” ? ai-je demandé.

— Eh bien, cette fille, par exemple, quand on est partis en camp de vacances…

— QUELLE FILLE ET DANS QUEL CAMP DE VACANCES ? ai-je hurlé si fort que Boris a sorti la tête de son placard pour voir ce qui se passait.

— Doucement, a fait Lilly, d'un air dégoûté. Ils sont juste sortis ensemble. Et il était en troisième, je crois.

— Est-ce qu'elle était jolie ? ai-je voulu savoir. Et qui c'était ? Jusqu'où sont-ils allés ?

— Tu as vraiment besoin de te faire soigner, a déclaré Lilly. Mais est-ce qu'on pourrait parler d'autre chose que de tes peines de cœur ? Il faut qu'on avance sur ton discours.

— Mon quoi ? ai-je fait en clignant des yeux.

— Ton discours, a répondu Lilly. Ce n'est pas parce qu'on a rompu l'une et l'autre avec nos petits amis qu'on n'est plus capables d'améliorer notre

environnement scolaire ou d'offrir aux autres un plus bel avenir, n'est-ce pas ?

— Non, ai-je fait. Mais…

— Parfait, m'a coupée Lilly. Tu n'as donc pas oublié que tu devais prononcer ton discours pour l'élection à la présidence du comité des délégués de classe, demain. »

J'ai avalé ma salive avant de dire :

« Lilly, ça ne va pas être possible.

— Tu n'as pas le choix, PDG, a rétorqué Lilly. Je t'ai laissée tranquille pendant toute la semaine à cause de Michael, mais je ne peux pas parler à ta place. Cela dit, comme j'ai pensé que tu n'avais rien préparé, j'ai pris la liberté d'écrire quelque chose. »

Sur ces paroles, elle a glissé une feuille de papier couverte de sa petite écriture de pattes de mouche, et a ajouté :

« Ce sont en gros les réponses aux questions posées sur les tracts que j'ai distribués l'autre jour, m'a-t-elle expliqué. Tu te souviens ? Ce qu'il faut faire si un ouragan de catégorie 5 s'abattait sur New York ou si une bombe sale explosait. Rien de nouveau. Pour toi, du moins.

— Si je le fais, tu me le diras ? ai-je demandé. Pour J-P et toi.

— C'est ta seule motivation pour te présenter ? m'a interrogée Lilly.

— Oui, ai-je répondu.

— Ce que tu peux être pathétique, ma pauvre. Mais oui, je te le dirai, a promis Lilly. Mais tu n'es vraiment pas une battante. »

Je n'ai pas pris la mouche. Car JE NE SUIS PAS une battante. Si elle savait à quel point !

En même temps, je sais que, derrière ses airs bravaches, Lilly souffre. Ce qui est normal. Elle adorait J-P. Jamais je ne l'ai vue aimer autant un garçon.

Comment J-P a-t-il pu lui faire un coup pareil ? Moi qui pensais que c'était quelqu'un de bien.

Franchement, je me demande comment je vais pouvoir rester amie avec lui maintenant. Sans parler de partager ma paillasse en chimie.

Vendredi 10 septembre, en chimie

J-P se comporte comme si de rien n'était ! Comme si je n'étais pas au courant ! Il m'a demandé si j'allais bien quand je me suis assise à coté de lui, avec l'air de se soucier véritablement de moi. Moi ! Alors qu'il vient de briser le cœur de ma meilleure amie !

J'étais tellement choquée que je lui ai juste répondu : « Bien », oubliant complètement que j'avais décidé, avant d'entrer en cours, de ne plus jamais lui adresser la parole.

Bon d'accord, ce n'est pas sa faute s'il n'aime pas Lilly. Mais il aurait pu lui dire plus tôt – en mai par exemple quand *elle* lui a avoué son amour pour la première fois –, au lieu de lui laisser ses illusions pendant tout ce temps.

Oh, oh... Kenny vient de me passer un petit mot.

Mia, je suis désolé pour Michael et toi. Si je peux faire quoi que ce soit, je t'en prie, dis-le-moi. Kenny.

Kenny est tellement adorable. Comment se fait-il qu'il n'ait pas de petite amie? Hé, peut-être que Lilly...

En fait, non. Kenny n'est pas du tout le genre de Lilly, vu qu'il doit peser moins qu'elle.

Merci, Kenny. M'aider à comprendre en chimie, c'est ce que tu peux faire de mieux pour moi en ce moment. En tout cas, sache que je suis très touchée par ta sollicitude.

Pas de problème, Mia! Tu sais que tu pourras toujours compter sur moi. Au fait, si tu ne fais rien ce soir, pourquoi ne passerais-tu pas chez moi? Je pourrais t'expliquer la loi d'Avogadro-Ampère. J'ai remarqué que tu avais l'air désorientée quand le prof en a parlé. En plus, ma mère est passée chez le boucher hier. Elle a acheté plein de bacon. J'ai entendu dire que tu en mangeais maintenant.

Vous avez vu comme il est attentionné! Il faut vraiment trouver quelqu'un à Kenny. Yan peut-être????

Merci, Kenny, c'est super gentil de ta part, mais je ne peux pas ce soir. Et puis, je ne suis pas sûre d'être suffisamment en forme pour comprendre la loi d'Avogadro ou n'importe quelle autre, d'ailleurs...

Comme tu veux! L'invitation est valable pour un autre soir. Mais tu sais, il ne faut surtout pas que la chimie te fasse peur. C'est facile, il suffit juste d'écouter.

C'est bon à savoir. Merci encore!

Incroyable.

Je n'en reviens pas. J-P vient de me passer un petit mot. Quel toupet!!!! Il ne peut pas ne pas savoir que je suis en colère contre lui. On a étude dirigée ensemble, Lilly et moi, après la pause déjeuner, et il doit bien se douter qu'elle m'a tout raconté. Comment ose-t-il m'envoyer un message. Comment OSE-t-il??

Je refuse de lui répondre. Tiens, à la place, je vais lire ce que le prof a écrit au tableau. La chimie, c'est important. Même une princesse doit avoir des connaissances en chimie. Mais ne me demandez pas pourquoi.

Une minute... De quoi parlait J-P? Et qu'est-ce qui était «incroyable»?

Qu'est-ce qui est incroyable?

Je n'arrive pas à croire que je lui ai répondu. Je lui ai répondu! Qu'est-ce qui cloche chez moi?

Tu es célibataire depuis quoi? 24 heures? Et les loups sont déjà sortis.

QUOI???? Qu'est-ce qu'il raconte? Il fait allusion à Kenny? J-P aurait-il perdu la tête?

Kenny n'est pas un loup! Il cherche seulement à être gentil.

Si ça t'aide à aller mieux, alors tu as raison de le penser. Mais au fait, comment te sens-tu?

Ha! Il veut savoir comment je me sens?

Tu veux savoir comment je me sens? Je vais te le dire. Je me sentais bien mieux avant d'apprendre que tu avais cassé avec ma meilleure amie!!!

Voyons voir comment il va répondre à ÇA.

Ah. Elle t'a dit.

Bien sûr qu'elle me l'a dit!!! Qu'est-ce que tu crois???? On se dit tout, Lilly et moi. Enfin, PRESQUE tout. J-P, comment as-tu pu lui faire ça?

Je suis désolé. Je ne voulais pas la blesser. J'apprécie beaucoup Lilly, c'est la pure vérité, mais je ne l'apprécie pas comme *elle* m'apprécie.

Lilly ne t'APPRÉCIAIT pas, elle t'AIMAIT. Elle te l'a même dit en mai. Si tu savais que tu ne l'aimais pas, pourquoi ne le lui as-tu pas dit à ce moment-là?

Honnêtement, je ne sais pas. J'imagine que j'espérais que mes sentiments pour elle changeraient, mais ça n'a pas été le cas. Et aujourd'hui, quand j'ai vu comment elle te traitait, j'ai compris qu'ils ne changeraient jamais.

Quand tu as vu comment elle me traitait? Mais de quoi parles-tu?

Elle a été tellement cruelle avec toi tout à l'heure, à la cafétéria. Par rapport à ce qui s'est passé entre Michael et toi.

Quoi???? Lilly n'a jamais été cruelle avec moi.

Mia, elle t'a comparée à ces juges fondamentalistes qui ordonnent que les femmes adultères en Iran soient lynchées.

Oh, mais Lilly est comme ça!

Eh bien, je n'ai pas envie d'être avec ce genre de personne. Cela témoigne d'un manque de compassion que je trouve totalement impardonnable.

Attends… tu es en train de dire que tu as cassé avec Lilly à cause de MOI ???

En partie… oui.

Génial. C'est absolument GÉNIAL. Comme si ça n'allait pas déjà assez mal pour moi. Il va falloir maintenant que je porte la responsabilité d'avoir brisé le cœur de Lilly.

J-P, je t'assure, Lilly est comme ça. J'y suis habituée. Ça ne m'embête pas du tout.

Eh bien, ça devrait. Tu mérites d'être mieux traitée. Personnellement, je trouve que tu laisses trop souvent les gens te manquer de respect. Tu te contentes de dire, « ce n'est pas grave, ils sont comme ça, c'est tout », mais ça ne rend pas leur comportement juste pour autant. D'ailleurs, que tu marques le coup avec Michael par rapport à ce qu'il a fait est, à mes yeux, un grand pas en avant.

Qu'est-ce que racontait J-P ?

Je ne laisse pas les gens me manquer de respect ! J'ai cassé le téléphone portable de Lana Weinberger… Bon d'accord, tu n'étais pas encore à Albert-Einstein, mais je l'ai fait.

Je ne dis pas que tu ne t'affirmes JAMAIS. Je dis juste qu'il faut beaucoup pour te faire sortir de tes gonds. Tu as trop ten-

dance à penser du bien des gens – comme Kenny, et sa tentative évidente de t'attirer dans ses griffes 24 heures à peine après que tu te retrouves célibataire.

Pas du tout ! Kenny me considère comme une amie !

O.K. Si tu préfères voir les choses comme ça, c'est ton droit. En tout cas, je suis content que tu ne te sois pas laissé faire en ce qui concerne Michael. Je l'aime beaucoup, mais il n'aurait pas dû te mentir sur sa vie sexuelle. L'honnêteté est pour moi la chose la plus fondamentale dans une relation. Et si Michael n'a pas pu être honnête avec toi sur quelque chose d'aussi essentiel que la personne avec qui il était avant de te rencontrer, quelles chances avez-vous tous les deux à long terme ?

Ouah ! ENFIN quelqu'un qui me comprend ! J-P n'est peut-être pas si affreux que ça. C'est vrai, il a plaqué Lilly – au bahut, en plus. Mais il donne vraiment l'impression de savoir ce qui est important pour lui.

J'espère seulement qu'on continuera à être amis. Je ne supporterais pas que ce qui s'est passé entre Lilly et moi affecte NOTRE amitié. Car tu es pour moi une amie chère, Mia... l'une des meilleures que j'aie jamais eues.

Oh, c'est tellement mignon :

Merci, J-P ! Toi aussi, tu m'es cher. Tu ne peux pas imaginer à quel point ça compte pour moi que tu prennes mon parti, et pas celui de Michael. Il y a tellement de garçons qui le défendraient. Ils ne semblent pas comprendre que la virginité est le bien le plus précieux qu'on puisse offrir à l'amour de sa vie. Si tu le gâches en en faisant don à quelqu'un dont tu ne te soucies pas, alors tu n'auras plus rien à donner à la personne qu'un jour tu aimeras vraiment.

Exactement. C'est pour ça que je m'accroche à la mienne.

J-P est vierge !!!

Ouah ! On a vraiment beaucoup de points communs.

Par ailleurs, cela signifie aussi que Tina se trompe : Lilly et lui ne l'ont pas fait !!!

Je ne vais pas dire à Lilly que je sais la vérité. Elle a eu son lot de déceptions pour la journée. C'est le moins que je puisse faire, étant donné que c'est MA faute si J-P et elle ont cassé.

J'espère juste qu'elle ne le saura jamais.

Vendredi 10 septembre, pendant le cours de maths

Mon dieu ! Ce qui vient de se passer s'est-il vraiment passé ? Ou l'ai-je seulement imaginé ?

Ça ne peut PAS s'être passé. Non, c'est trop irréel.

Sauf que… sauf que je crois bien que ça s'est vraiment passé !

Je vais vomir. Je sens que je vais vomir. *Pourquoi* ai-je mangé ce cheeseburger et tout ce bacon à midi ?

J'ai les mains qui tremblent tellement que j'arrive à peine à écrire… pour tant, il faut que je l'écrive, noir sur blanc.

Bien, allons-y :

Maintenant, je sais ce que Michael voulait dire quand il m'a écrit qu'il allait *passer pour essayer au moins de s'expliquer*. Il voulait dire qu'il allait passer au lycée. ICI, à Albert-Einstein.

Il est arrivé pile au moment où je sortais du cours de chimie avec J-P.

Le problème, c'est que je ne l'ai pas vu tout de suite. Michael, je veux dire.

Je l'ai vu après que J-P – qui, je suis sûre, ne l'avait pas vu non plus – m'a dit : « Amis ? » et que j'ai répondu : « Bien sûr ! » et qu'il a ajouté : « On s'embrasse, alors ? » et que j'ai fait : « Pourquoi pas ? » avant de m'avancer pour l'embrasser.

J'étais tellement… je ne sais pas… TOUCHÉE par J-P. Il avait l'air si triste d'avoir cassé avec Lilly et tout ça. Bref, avant que je mesure la portée de mon

geste, je me suis approchée de lui et je l'ai EMBRASSÉ.

Je voulais l'embrasser sur la joue. Mais il a bougé la tête au dernier moment et je me suis retrouvée à l'embrasser sur la bouche. Attention, je ne l'ai pas embrassé avec la langue, évidemment. Et mon baiser n'a duré qu'une seconde. Mais quand même. Je l'ai embrassé. Sur la bouche.

Cela n'aurait sans doute pas porté à conséquence si, quand j'ai retiré mes bras de son cou et que je me suis retournée – un peu gênée, tout de même, car je n'avais pas eu l'intention de l'embrasser. Enfin, pas vraiment – Michael n'était pas apparu dans mon champ de vision.

Au milieu du couloir, l'air totalement abasourdi.

Toutes sortes de pensées m'ont alors traversé l'esprit. La joie, d'abord, parce que je suis toujours heureuse quand je vois Michael. La douleur, ensuite, car je me souvenais de ce qu'il m'avait fait, et qu'on était séparés à présent. Puis l'étonnement : que faisait-il ici, dans un lycée d'études secondaires, puisqu'il avait déjà obtenu son diplôme ?

C'est alors que j'ai compris qu'il était venu pour *essayer de s'expliquer*, comme il me l'avait dit dans son texto.

Et quand j'ai vu son regard qui passait de mon visage à celui de J-P – pauvre J-P ! Il se tenait immobile, telle une statue, les mains qu'il avait glissées autour de ma taille lorsque je m'étais hissée sur la pointe des pieds pour l'embrasser suspendues en l'air, comme s'il ne savait plus comment les actionner –, j'ai su EXACTEMENT à quoi il pensait : qu'il y avait quelque chose entre J-P et moi.

« Michael », ai-je dit.

Mais trop tard. Il se retournait déjà et s'éloignait.

Il s'éloignait comme s'il venait de se rendre compte de l'énorme, de la colossale erreur qu'il avait commise en venant me voir au lycée !!

Je n'arrivais pas à y croire ! C'est clair que je ne comptais pas suffisamment à ses yeux pour qu'il reste et essaie de s'expliquer avec moi. Il ne restait même pas pour casser la figure de J-P ! Normalement, quand un garçon découvre qu'un autre garçon lui pique sa copine, c'est ce qu'il fait, non ?

Mais je suppose que je ne suis plus sa copine.

Et pourquoi l'attitude de Michael me surprenait-elle ? Quand il m'avait vue danser comme une allumeuse avec J-P l'an dernier à sa fête, il n'avait rien dit.

Mais il ne m'avait pas ignorée après, comme il le faisait à présent.

Mon Dieu ! Je ne sais plus quoi penser. J'espérais qu'écrire m'aiderait, mais non. Mes mains tremblent toujours. Que m'arrive-t-il ? Et j'ai encore des haut-le-cœur. Ça ne peut pas être le cheeseburger. Je l'ai digéré depuis longtemps maintenant.

POURQUOI N'A-T-IL RIEN DIT ? J'ÉTAIS QUAND MÊME EN TRAIN D'EMBRASSER UN AUTRE GARÇON ! On aurait pu penser qu'il aurait au moins dit QUELQUE CHOSE, ne serait-ce que « Adieu ».

Adieu. Oh, non ! Et il part ce soir. Pour toujours.

Il était si BEAU en plus, debout dans le couloir, si grand et si fort, avec son cou fraîchement rasé (c'est une supposition de ma part, car je n'ai pas eu l'occasion de m'approcher et de vérifier. Ou de le sentir. Mon Dieu ! Comme l'odeur de Michael me manque ! Si je pouvais sentir l'odeur de son cou maintenant, je suis sûre que j'arrêterais de trembler et d'avoir la nausée).

Il avait l'air si choqué… si blessé.

Ça y est. Je sens que je vais vraiment vomir.

Vendredi 10 septembre, dans la limousine, en chemin pour le Four Seasons

J'ai vomi à l'infirmerie. Lars m'y a conduite juste à temps.

C'est venu d'un seul coup. J'étais en cours de maths et j'écrivais mon journal quand, brusquement, j'ai vu le visage peiné de Michael au moment où je me détournais de J-P. Je me suis mise alors à transpirer à grosses gouttes et Lars, qui était assis à côté de moi, a dit, inquiet :

« Princesse, ça va ?

— Non », ai-je répondu.

Une seconde plus tard, il me tenait par le bras et m'amenait à l'infirmerie. L'infirmière a pris ma température et m'a dit que je n'en avais pas, mais comme on signalait des cas de gastrites en ce moment, elle a pensé que ça pouvait être ça. Bref, il valait mieux que je rentre chez moi si je ne voulais pas la donner à tout le monde.

Elle a alors appelé à la maison, mais il n'y avait personne. J'aurais pu le lui dire. Ce trimestre, Mr. G n'a cours que le matin, le vendredi. Du coup, il rentre plus tôt et avec maman, ils en profitent pour aller chez Sam, la grande parapharmacie dans le New

Jersey, où ils achètent les couches de Rocky moins cher.

Lars a donc décidé de me conduire chez Grand-Mère. Il ne voulait pas que je reste seule à la maison dans mon état.

Apparemment, être malade en compagnie de Grand-Mère est préférable à être malade seule, au fond de mon lit douillet. Je ne vois pas la logique de tout ça, mais j'étais trop faible pour protester.

Et je n'avais pas non plus le courage de dire à l'infirmière que ce n'était pas une gastrite. Je souffre du syndrome de la-personne-qui-engloutit-un-cheeseburger-après-s'être-abstenue-de-manger-de-la viande-pendant-des-années-parce-que-son-copain-a-donné-son-petit-capital-à-une-autre-fille-qu'à-elle-et-part-pour-le-Japon-le-soir-même.

Mais comme pour la grippe, il n'y avait rien à faire qu'attendre que ça passe. Surtout quand le syndrome s'accompagne de complications, en particulier celle d'embrasser-l'ex-petit-ami-de-sa-meilleure-amie-en-présence-de-son-ex-petit-ami-à-soi.

Le plus triste dans l'histoire, c'est que la première personne que j'ai eu envie d'appeler quand j'ai compris qu'on ne me gardait pas au lycée parce que j'étais malade, c'est… Michael. Lui parler m'a toujours fait du bien.

Mais je ne peux pas l'appeler. Je ne pourrai plus jamais l'appeler. Que pourrais-je lui DIRE après ce qui vient de se passer ?

Heureusement qu'il y a des pochettes en papier dans cette limousine au cas où les passagers viendraient à être malades.

Vendredi 10 septembre, 3 heures de l'après-midi, au Four Seasons

Grand-Mère est la pire personne avec qui être quand on ne se sent pas bien. Premièrement, elle n'est jamais malade – ou du moins, si elle l'a été un jour, elle ne se rappelle pas comment c'était – et deuxièmement, elle ignore le sens du mot compassion.

Mais pire, elle est RAVIE qu'on ait cassé, Michael et moi.

« J'ai toujours su que ce garçon poserait des problèmes », a-t-elle déclaré gaiement quand je lui ai expliqué pourquoi je me retrouvais dans sa suite en plein milieu de l'après-midi parce que j'avais soi-disant une gastrite et que je risquais de contaminer tout le lycée.

Je ne suis pas malade, Grand-Mère, je suis juste triste…

Car le hic, c'est que j'aime toujours Michael et que je n'ai jamais cessé de l'aimer. Aussi, au lieu de la conforter dans ses sentiments à l'égard de Michael, j'ai répondu : « Tu ne sais pas de quoi tu parles », et je suis allée m'asseoir sur le canapé avant de prendre Rommel sur les genoux, histoire de trouver un peu de réconfort auprès de lui.

Oui. J'étais tellement malheureuse que je cherchais le réconfort auprès d'un caniche nain.

« Oh, il n'y a rien de fondamentalement dérangeant chez ce garçon, a poursuivi Grand-Mère. Sauf que c'est un roturier. Mais dis-moi, qu'a-t-il fait ? Cela a dû te paraître particulièrement outrageant pour que tu retires SON pendentif. »

J'ai porté la main à ma gorge nue. Mon pendentif ! Je ne m'étais pas rendu compte jusqu'alors qu'il me manquerait à ce point – comme c'était étrange de ne pas le sentir sous mes doigts.

Le pendentif de Michael avait toujours été un sujet de discorde entre Grand-Mère et moi, surtout lors des bals et des cérémonies officielles, quand elle tenait à ce que j'exhibe les joyaux de la couronne et que je refusais de le retirer. Cela dit, je reconnais qu'un flocon de neige argenté au bout d'une chaîne, ça ne va pas vraiment avec un collier de diamants et de saphir, même pour les fans de la superposition.

Bref, comme cela ne servait à rien de cacher la vérité à Grand-Mère, vu qu'elle finirait par me tirer les vers du nez, j'ai dit :

« Il a couché avec Judith Gershner.

— Il t'a trompée ! s'est-elle exclamée, enchantée. Ce n'est pas grave. *Un de perdu, dix de retrouvés*, comme dit le proverbe. Qu'en est-il justement de ce charmant garçon qui jouait dans ma comédie musicale, le fils Reynolds-Abernathy ? Voilà un parfait prince consort pour toi. Il était si bien élevé, si grand, si blond, si beau. »

J'ai préféré ne pas relever. De toute façon, qu'est-ce que j'aurais pu répondre à ça ? Parfois, je me demande s'il n'y a pas des cas de démence dans la famille.

En fait, il y en a.

« Michael ne m'a pas trompée, ai-je toutefois corrigé. Il a couché avec Judith Gershner avant qu'on sorte ensemble.

— S'agit-il de cette fille qui clonait des taons ? a demandé Grand-Mère. Je comprends que cela te bouleverse. Je me souviens qu'elle portait d'affreuses tennis noires !

— Grand-Mère ! me suis-je écriée. Cela n'a rien à voir avec son physique ! Ce que je ne supporte pas, c'est que Michael m'ait menti ! Quand je lui ai demandé s'ils sortaient ensemble, il m'a répondu

non. En plus, il ne l'aimait même pas. Quel genre de personne fait le don de son petit capital à quelqu'un qu'il n'aime pas ? »

Grand-Mère m'a scrutée du regard, perplexe.

« Son petit quoi ? a-t-elle dit.

— SON PETIT CAPITAL », ai-je répété.

Elle était sourde ou quoi ?

« On n'en a qu'UN et Michael l'a donné à JUDITH GERSHNER, une fille dont il n'avait rien à faire ! ai-je presque hurlé. Il aurait dû attendre pour me le donner à MOI ! »

Je ne lui ai pas raconté qu'il m'avait surprise en train d'embrasser un autre garçon. Cela n'avait aucun rapport avec le sujet, n'est-ce pas ? Quoi qu'il en soit, Grand-Mère a paru encore plus troublée.

« Ce petit capital était-il un bien de famille ? a-t-elle demandé. Car l'usage veut que lorsqu'un jeune homme offre à une jeune fille un bien appartenant à sa famille, la jeune fille ne le garde que le temps de leur union, et doit le rendre en cas de dissolution de l'engagement.

— Le petit capital n'est pas une BAGUE, Grand-Mère ! ai-je explosé. C'est la VIRGINITÉ ! »

Grand-Mère a écarquillé les yeux.

« La *virginité* ? a-t-elle répété. Mais la virginité n'est pas un capital. Tu ne peux pas la faire fructifier. »

Je n'en reviens pas qu'elle soit si en retard sur son temps. Pas étonnant qu'elle ne voie pas de quoi je parle. J'écoutais l'autre jour *Dance, Dance* sur mon iPod quand, après en avoir entendu des bribes et trouvé la musique « entraînante », elle m'a demandé qui chantait. Lorsque je lui ai répondu Fall Out Boy, elle m'a accusée de lui mentir car personne, selon elle, ne donnerait un nom aussi stupide à son groupe. J'ai essayé alors de lui expliquer que ça venait de Bart, des *Simpsons*, et elle a fait : « BART QUI ? Tu veux dire Bart de WALLIS SIMPSON ? Elle n'avait pas de parent appelé Bart. Du moins, à ma connaissance. »

Vous comprenez maintenant ? Elle est à désespérer.

« La virginité est un petit capital que tu es censé ne donner qu'à une personne que tu aimes, ai-je expliqué lentement pour qu'elle comprenne. Mais Michael a donné le sien à Judith Gershner, une fille qu'il n'aimait pas et avec qui, je cite, il ne faisait que "flirter". Ce qui signifie qu'il n'a plus de petit capital à me donner, moi qui suis soi-disant l'amour de sa vie, parce qu'il l'a GÂCHÉ avec cette fille qui ne représentait rien pour lui ! »

Grand-Mère a secoué la tête.

« Cette Mlle Gershner t'a fait une FAVEUR, jeune fille, a-t-elle déclaré. Tu devrais te prosterner à ses

pieds. Car aucune femme ne veut d'un amant sans expérience. Quoi qu'il en soit, a-t-elle poursuivi, ce garçon ne doit-il pas partir au Japon ?

— Si », ai-je fait.

Et comme chaque fois, mon cœur s'est serré au mot de Japon. Ce qui prouve que :

a) j'ai toujours un cœur, et

b) j'aime toujours Michael, malgré tous mes efforts pour me détacher de lui. Mais comment le pourrais-je ?

« Alors, quelle importance ? a demandé Grand-Mère gaiement. Tu ne le reverras probablement jamais. »

C'est à ce moment-là que j'ai éclaté en sanglots.

Grand-Mère a semblé assez affolée par ma réaction. Il faut dire qu'il y avait de quoi. J'étais assise dans le canapé et je pleurais en poussant de longs gémissements. Même Rommel a laissé échapper des cris plaintifs. Je ne sais pas comment ma crise de larmes se serait terminée si mon père n'était pas arrivé.

« Mia ! s'est-il exclamé en me voyant. Que fais-tu ici à cette heure de la journée ? Et que se passe-t-il ? Pourquoi pleures-tu ? »

J'ai secoué la tête, incapable de répondre.

« Elle a cassé avec ce garçon, a dû hurler Grand-Mère, pour se faire entendre par-dessus mes sanglots. Je ne vois pas pourquoi elle en fait toute une histoire. J'ai essayé de lui dire que c'était mieux comme ça et qu'elle devrait sortir avec le fils Reynolds-Abernathy. Un si beau jeune homme ! Et son père qui est si riche ! »

Au nom de J-P, le souvenir du baiser que je lui avais donné devant Michael m'a fait pleurer de plus belle. Jamais je n'en avais eu l'intention, bien sûr ! Mais à quoi bon se lamenter ? Le mal était fait. Michael ne m'adresserait plus jamais la parole. Inutile de me faire des illusions.

Je crois que c'est ça, finalement – qu'il ne m'adresse plus jamais la parole –, qui me faisait le plus pleurer.

« Je sais ce qu'il lui faut, a déclaré Grand-Mère tandis que je continuais de gémir.

— Sa mère ? » a suggéré papa, plein d'espoir.

Grand-Mère a secoué la tête.

« Non. Un bourbon. Ça requinque bien. »

Mon père a froncé les sourcils.

« Je ne suis pas certain qu'un bourbon fasse l'affaire, a-t-il répondu. Mais tu peux peut-être demander à ta femme de chambre de nous apporter du thé. »

Grand-Mère n'a guère paru convaincue mais elle est tout de même allée voir Jeanne, son employée, tandis que mon père me considérait d'un air embêté. Il n'est pas habitué à me voir pleurer comme ça. Attention, je ne dis pas que je n'ai jamais pleuré devant lui. Ça m'est même souvent arrivé. La dernière fois, c'était l'été dernier : on se trouvait à une cérémonie officielle, au palais ; je me suis cogné la tête à une poutre particulièrement basse, et les peignes qui retenaient mon diadème m'ont presque perforé le crâne.

Mais il ne m'avait jamais vue dans un état pareil, et plus je pleurais, plus il avait l'air embarrassé. Il faut dire que je ne parle pas de ma vie sentimentale avec lui, vu que c'est… mon père, quoi.

Bref, il a fini par s'asseoir sur le canapé comme s'il ne parvenait plus à tenir debout, et il est resté là, à côté de moi, à m'écouter geindre et me lamenter jusqu'à ce que je me calme et que je me mouche une dernière fois, toutes les larmes de mon corps apparemment épuisées.

Il a alors pris la parole, sauf que je ne m'attendais pas du tout à l'entendre dire d'une voix grave :

« Mia. Je crois que tu commets une erreur. »

Je venais de lui expliquer que Michael était un salaud ! Quel père voudrait que sa fille reste avec un

salaud ? Et comment pouvait-il me dire que je commettais une erreur ?

« On ne rencontre pas souvent le vrai amour, a-t-il repris. Et quand on a la chance de le trouver, c'est stupide de le rejeter à cause d'une bêtise commise avant. »

J'ai relevé la tête et je l'ai fixé du regard. C'est incroyable ce qu'il ressemblait au roi elfe dans *Le Seigneur des Anneaux*. Si le roi elfe avait été chauve, bien sûr.

« Et c'est encore plus stupide de laisser partir quelqu'un pour qui tu éprouves des sentiments aussi forts, du moins sans rien dire, a-t-il continué. Je parle en connaissance de cause, a-t-il ajouté après s'être éclairci la gorge. Je l'ai regretté toute ma vie, car je n'ai plus jamais rencontré de femme que j'ai aimée autant. Je ne voudrais pas que tu commettes la même erreur, Mia. Alors, *pense* à ce que tu fais. Si j'avais su… »

Il n'a pas fini sa phrase et s'est levé. C'était l'heure de son rendez-vous aux Nations unies.

Je suis restée sur le canapé, sous le choc. Son petit discours avait-il pour but de m'aider à me sentir mieux ? Parce que ça n'était pas le cas du tout !

Mon père aurait mieux fait de demander à Lars de me tirer une balle dans la tête. Je ne vois rien d'autre qui puisse mettre un terme à mon chagrin.

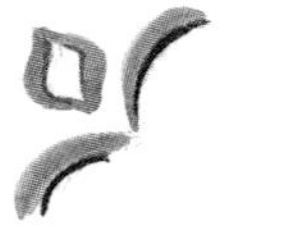

Vendredi 10 septembre, au Four Seasons

Le thé est arrivé et Grand-Mère m'a priée de le servir. Elle m'a raconté qu'elle s'était disputée un jour avec Elizabeth Taylor au sujet de la tenue qu'une femme doit porter quand elle prend le thé l'après-midi. Elizabeth Taylor ne voyait pas d'inconvénient à ce que la femme soit en tailleur-pantalon et Grand-Mère jurait ses grands dieux que c'était tout à fait inconvenant (tiens donc).

Quelque chose me turlupine. En dehors du fait qu'on a cassé, Michael et moi, et qu'il y a une heure à peine, il m'a vue en train de flirter (enfin, plus ou moins) avec l'ex-petit copain de ma meilleure amie.

Je n'arrête pas de penser à ce que papa m'a dit. Sur la femme qu'il a laissée partir. Il avait l'air si triste. Et mon père n'est pas du genre à être triste. Après tout, seriez-vous triste si vous étiez prince et que vous ayez le téléphone personnel de Gisèle Bundchen ?

Ce qui explique pourquoi j'ai interrompu Grand-Mère dans sa tirade contre les tailleurs-pantalons pour lui demander si elle savait de qui il parlait.

« Une femme qu'il a laissée partir sans rien dire ? a-t-elle répété d'une voix songeuse. Hmmmmm. Ça pourrait être cette ménagère…

—Grand-Mère, l'ai-je coupée. Ce que *US Weekly* a raconté sur papa et Eva Longoria n'était que des rumeurs.

—Ah bon, a fait Grand-Mère. Dans ce cas, je ne vois pas. La seule femme dont je l'ai entendu parler plus d'une fois, c'est ta mère. Mais bien sûr, c'est normal puisqu'il s'agit de ta mère. Si tu n'étais pas née, il ne l'aurait plus jamais revue après qu'elle a refusé de l'épouser. Ce qui était, évidemment, une énorme bêtise de sa part. Dire non à un prince? Pfttt! Cela dit, ce n'est pas plus mal comme ça. Jamais ta mère n'aurait supporté de vivre dons un palais. Passe-moi les sucrettes, Amelia.»

C'était tellement étrange. De qui pouvait-il s'agir? Qui mon père avait-il aimé mais laissé partir. Qui…

Vendredi 10 septembre, en sortant du Four Seasons

Je n'en reviens pas d'être aussi stupide.

Papa a essayé de me le dire. TOUT LE MONDE a essayé de me le dire. Faut-il vraiment que je sois aussi STUPIDE?

Mais je peux rattraper le coup. Je SAIS que je peux. Il faut juste que je lui parle avant qu'il prenne l'avion.

Le problème, c'est que je ne sais pas quoi lui dire. Oh, je trouverai bien quand je serai devant lui. Si je

peux juste sentir l'odeur de son cou, je suis sûre que ça se passera bien.

Et que je saurai quoi lui dire.

Mais pour ça, il faut que j'arrive à l'aéroport à temps.

Comme on est en plein milieu de l'après-midi et que mon père a gardé la limousine pour aller aux Nations unies, on doit prendre un taxi, Lars et moi, sauf qu'on n'en trouve pas, comme c'est TOUJOURS le cas quand on en cherche un ! Ce qui me fait dire qu'ils racontent n'importe quoi dans *Sex and the City*, où les filles trouvent TOUJOURS un taxi, car tout le monde sait qu'il y a plus de gens qui ont besoin d'un taxi que de taxis et…

QU'EST-CE QUE JE VAIS LUI DIRE ???????

Mon Dieu, je n'en reviens pas d'être aussi stupide. Stupide, aveugle, ignorante, catégorique et QU'EST-CE QU'ON EN A À FAIRE ???? Franchement, qu'est-ce qu'on en a à faire alors que je l'aime et n'aimerai jamais personne d'autre, et ce n'est pas comme s'il m'avait trompée et OÙ SONT PASSÉS LES TAXIS ??????

Je me suis sauvée de chez Grand-Mère sans même lui dire au revoir. Je me suis juste contentée de hurler : « On part ! » à Lars et de me précipiter vers la porte. Lars m'a suivie en courant, un peu interloqué.

Une fois dans le hall de l'hôtel, j'ai réussi à joindre Lilly sur son portable.

« C'EST QUOI LA COMPAGNIE ? ai-je hurlé.

— De quoi tu parles ? a demandé Lilly.

— SUR QUELLE COMPAGNIE MICHAEL VOLE-T-IL ??? ai-je hurlé de plus belle.

— Continental, a répondu Lilly. Mais… où es-tu, Mia ? Tu dois faire ton discours dans une heure ! Ton discours pour les élections !

— Je ne peux pas ! ai-je rétorqué. Il faut que je voie ton frère, c'est plus important ! »

Je pleurais à nouveau, mais je m'en fichais. Je pleure tellement depuis quelque temps que c'est presque devenu naturel. Ce qui signifie que je ne suis finalement pas nihiliste. Parce que les nihilistes ne pleurent pas.

« Lilly, je veux juste lui dire… », ai-je repris.

Sauf que je ne savais toujours pas ce que je voulais dire à Michael.

« À quelle heure son avion part-il ? » ai-je demandé.

Quelque chose dans ma voix a dû convaincre Lilly que c'était urgent.

« Cinq heures, a-t-elle dit. Il est déjà parti pour l'aéroport. Tu dois te présenter trois heures avant quand c'est un vol international. Mais j'imagine que

lorsqu'on a son propre jet, comme toi quand tu vas à Genovia, on est dispensé de ce genre de contrainte. »

Michael était donc déjà à l'aéroport.

Mais ce n'est pas ça qui allait m'arrêter. J'ai raccroché et je suis sortie en courant du hall du Four Seasons.

Pendant que Lars hélait un taxi, j'ai appelé mon père sur sa ligne personnelle.

« Mia, a-t-il murmuré quand il m'a entendue. Que se passe-t-il ? Ça va ?

— Oui, tout va bien, ai-je répondu. Mais dis-moi, c'était maman ?

— Tout va bien ? a répété mon père. Mia, tu me déranges en pleine Assemblée générale – le Comité pour le désarmement et la sécurité internationale est en train de parler en ce moment. Je sais que ce n'est pas facile pour toi depuis que tu as rompu avec ton petit copain, mais s'il ne s'agit pas d'une urgence, je raccroche.

— Non, papa ! me suis-je écriée. Il faut que je sache. La femme que tu aimais et que tu as laissée partir sans rien dire, c'était maman ?

— De quoi parles-tu ? a demandé mon père.

— EST-CE QUE C'ÉTAIT MAMAN ? Est-ce que maman était cette femme que tu as aimée et que tu regrettes d'avoir laissée partir ? C'était elle, hein ? Parce qu'elle ne voulait pas se marier et que TOI, tu

étais obligé de te marier pour donner un héritier au trône ? Tu ne savais pas que tu aurais un jour un cancer et que je serais ta seule enfant. Et tu ne savais pas que tu ne rencontrerais pas d'autre femme que tu aimerais autant que tu l'as aimée ? Alors tu l'as laissée partir sans rien dire ? C'était elle ? Ça ne peut être qu'ELLE. »

Il y a eu un long silence à l'autre bout du fil, puis mon père a répondu, tout doucement.

« Ne le lui répète jamais, Mia, s'il te plaît.

— Ne t'inquiète pas, papa, je ne le ferai pas », ai-je dit.

À cause de mes larmes qui ruisselaient le long de mes joues, je voyais à peine Lars et le portier du Four Seasons qui agitaient avec frénésie leurs bras chaque fois qu'un taxi passait devant l'hôtel.

« Je te le promets, ai-je repris. Mais je voudrais te demander encore quelque chose.

— Mia, il faut que je raccroche…, a répété mon père.

— Est-ce que tu aimais sentir l'odeur de son cou ? l'ai-je interrompu.

— *Quoi ?* a-t-il fait.

— Le cou de maman. Papa, j'ai besoin de savoir… Est-ce que tu aimais sentir l'odeur de son cou ? Est-ce que tu trouvais qu'il sentait bon ?

— Aussi bon qu'un bouquet de freesia, a-t-il répondu, avec de la nostalgie dans la voix. Mais comment le sais-tu ? Je ne l'ai jamais dit à personne. »

Le cou de maman ne sent pas du tout les freesias. Il sent le savon et le white-spirit. Et le café, bien sûr, parce qu'elle en boit beaucoup. Sauf pour papa. Lui ne pouvait pas sentir ça. Parce que pour lui, maman était unique. C'était la femme de sa vie. Comme Michael est l'homme de ma vie.

« Papa, ai-je dit. Il faut que je te laisse. Au revoir ! »

J'ai raccroché au moment où Lars m'appelait.

« Princesse ! Vite ! »

Un taxi ! Enfin ! J'étais sauvée !

Vendredi 10 septembre, dans le taxi, en chemin pour l'aéroport JFK

Je n'en reviens pas. C'est incroyable. Pourtant il n'y a pas d'erreur possible : c'est bien Ephrain Kleinschmidt qui conduit le taxi. Oui. Le même Ephrain Kleinschmidt qui m'avait vue pleurer à chaudes larmes l'autre soir. Il m'a regardée dans son rétroviseur et s'est exclamé :

« C'est VOUS ! »

Puis il a tendu la main vers sa boîte de Kleenex.

« Pas de Kleenex ! ai-je dit. Conduisez-nous à JFK ! Tout de suite ! Roulez le plus vite possible !

— JFK ? a-t-il répété. Mais j'ai fini ma journée ! Je rentre chez moi ! »

Lars lui a alors montré son revolver. En fait, il ouvrait son portefeuille pour lui proposer vingt dollars de pourboire s'il nous conduisait à l'aéroport en vingt minutes, mais je suis sûre que l'arme, dans la poche intérieure de la veste de Lars, a eu plus d'effet que les vingt dollars.

En tout cas, Ephrain Kleinschmidt n'a pas hésité. Il a appuyé sur le champignon.

Jusqu'à ce qu'on arrive à notre premier feu rouge.

C'est un véritable supplice. Jamais on ne sera à JFK à temps.

Il le faut pourtant. Je ne peux pas laisser Michael partir… sans rien dire. Je ne veux pas finir ma vie comme mon père, seul, à sortir avec des mannequins, parce que j'aurais laissé la personne que j'aimais vraiment me filer entre les doigts !

Attention, je ne suis pas en train d'écrire, qu'une fois à l'aéroport, Michael ne me dira pas : « Fiche-moi la paix. Je ne veux plus te voir. » Car regardons les choses en face : j'ai fait n'importe quoi, même si j'étais en droit d'être blessée par ses révélations. Mais j'aurais pu me montrer un peu plus compréhensive et moins catégorique.

Tout le monde a essayé de me le dire. Maman. Tina. Lilly. Papa.

Mais je ne les ai pas écoutés.

Pourquoi ne les ai-je pas écoutés

Et POURQUOI ai-je embrassé J-P???? POURQUOI? POURQUOI? POURQUOI?

Tout ce que je peux faire, c'est essayer d'expliquer mon geste. Lui dire qu'il ne signifiait rien, que J-P est juste un copain. Que je suis une personne affreuse qui mérite d'être punie.

Mais pas par le silence de Michael. TOUT sauf ça.

Et même s'il me dit: « Fiche-moi la paix », je sais que je dormirai, au moins, ce soir. Car j'aurai essayé. J'aurai essayé d'arranger les choses.

Peut-être le seul fait d'avoir essayé suffira-t-il?

« Princesse, j'ai peur qu'on n'y arrive pas », m'a prévenue Lars.

J'ai levé les yeux de mon journal. On était bloqués sur un pont, derrière un camion.

« Ne dites pas ça, Lars, ai-je pourtant répondu. On va y arriver. ON VA Y ARRIVER.

— Vous devriez peut-être l'appeler? a-t-il alors suggéré. Pour lui dire qu'on est en chemin. Comme ça, il vous attendra au lieu d'aller directement en zone d'embarquement.

— Je ne peux PAS l'appeler! me suis-je écriée.

— Pourquoi pas? a voulu savoir Lars.

— Parce qu'il ne décrochera jamais s'il voit que c'est moi. Pas après ce qui s'est passé quand je suis sortie du cours de chimie. »

Lars a haussé un sourcil.

« Oh, a-t-il fait. J'avais oublié. Mais s'il est déjà dans la zone d'embarquement, vous ne pourrez pas y aller sans billet.

— Eh bien, j'achèterai un billet, ai-je déclaré.

— Pour le JAPON ? s'est exclamé Lars. Princesse, je ne crois pas…

— Je n'irai pas au Japon, l'ai-je rassuré, j'irai seulement jusqu'à la porte d'embarquement.

— Vous savez que je n'ai pas le droit de vous laisser seule, a fait remarquer Lars.

— J'achèterai deux billets, dans ce cas », ai-je rétorqué.

Heureusement, j'avais ma carte American Express sur moi. Je ne m'en suis jamais servie jusqu'à présent. Je n'ai le droit de l'utiliser qu'en cas d'urgence.

Justement, c'en était une.

« Je pense quand même que vous devriez l'appeler, a insisté Lars. Il décrochera peut-être, qui sait ? »

J'ai observé Lars du coin de l'œil.

« Vous le feriez, vous ? ai-je demandé. Si vous étiez à sa place ?

— Euh… Peut-être pas, non, a-t-il répondu.

— On ne va pas tarder à arriver, a annoncé tout à coup Ephrain Kleinschmidt.

— Non, Lars, je ne l'appellerai pas, ai-je repris. Sauf si je ne pouvais pas faire autrement. Jamais Arwen n'appellerait Aragorn, ai-je ajouté.

— Qui ? a demandé Lars.

— La princesse Arwen. Jamais elle n'appellerait Aragorn, ai-je répété. Ce qui se joue en ce moment nécessite un GRAND GESTE, Lars. Je ne suis pas Arwen. Je n'ai pas sauvé des Hobbits du péril ni battu les Ringwraiths. J'ai déjà pas mal de handicaps contre moi : je me suis comportée comme une idiote, j'ai embrassé un autre garçon ET je n'ai rien apporté à la société, comme Michael qui, quand il aura fabriqué son robot, révolutionnera le monde de la médecine. Non, moi, je suis juste princesse.

— Cette Arwen n'était-elle pas aussi une princesse ? a fait remarquer Lars.

— Oui, mais sa coupe de cheveux ne lui donnait pas l'air stupide comme moi », ai-je rétorqué.

Lars m'a regardée et a dit :

« C'est vrai. »

Je ne me suis même pas vexée. Car quand on a touché le fond, plus rien ne fait mal.

« Sans compter qu'Arwen n'a jamais tenté d'empêcher Aragorn d'aller au bout de sa quête, ai-je ajouté, comme j'ai cherché à empêcher Michael de partir au

Japon. Arwen joue un rôle crucial dans la destruction de l'Anneau. Qu'est-ce que j'ai fait, moi ?

— Vous avez construit des maisons pour les SDF, m'a rappelé Lars.

— C'est vrai, ai-je reconnu. Mais Michael aussi.

— Vous avez fait installer des horodateurs à Genovia, a continué Lars.

— Quel exploit ! me suis-je exclamée sur un ton sarcastique.

— Vous avez sauvé la baie de Genovia d'une algue tueuse, a insisté Lars.

— Tout le monde s'en fiche sauf les pêcheurs, ai-je tenu à préciser.

— Vous avez fait installer des poubelles de recyclage dans votre lycée, a poursuivi Lars.

— Et j'ai vidé les caisses du comité des délégués de classe. Regardons les choses en face, Lars : je ne suis pas Melinda Gates qui a donné des milliers de dollars pour lutter contre le paludisme, ce fléau mondial qui tue un enfant toutes les trente secondes en Afrique, et pourquoi ? Parce que ses parents n'ont pas de quoi acheter une moustiquaire à trois dollars. J'ai intérêt à me mettre à travailler vite pour devenir quelqu'un de spécial si je veux garder Michael. Enfin, s'il veut toujours de moi.

— Je crois que Michael vous aime telle que vous êtes, princesse, a déclaré Lars tout en se retenant à la

poignée de la portière pour ne pas tomber sur moi chaque fois qu'Ephrain Kleinschmidt faisait un écart pour doubler une voiture.

— Qu'il m'aimait avant que je gâche tout, ai-je corrigé. Et qu'il me voie en train d'embrasser l'ex-petit ami de sa sœur.

— C'est vrai », a admis Lars.

Vous savez quoi ? C'est pour ce genre de réponse que j'apprécie autant Lars. Il ne dit jamais quelque chose pour vous remonter le moral. Non, Lars dit toujours la vérité. Sa vérité, du moins.

« Quelle compagnie ? a demandé brusquement Ephrain Kleinschmidt.

— Continental, ai-je répondu en m'accrochant à mon tour à la poignée de ma portière. Côté départs ! »

Ephrain Kleinschmidt a accéléré.

Je ne peux plus écrire.

Je n'ai jamais eu aussi peur de ma vie.

Vendredi 10 septembre, à l'aéroport international JFK

Ça n'a pas du tout marché comme je l'espérais.

Ce que j'espérais, c'était entrer dans l'aéroport et voir Michael en train de faire la queue pour passer dans la zone d'embarquement. Je l'aurais appelé, il se serait retourné. En me reconnaissant, il serait sorti de la queue et m'aurait rejointe. Je lui aurais alors dit

que j'étais désolée d'avoir été si stupide, et il m'aurait aussitôt pardonné avant de me serrer dans ses bras et de m'embrasser. Bien sûr, j'aurais senti l'odeur de son cou et Michael aurait été tellement ému qu'il aurait décidé de rester à New York.

Bon d'accord, je ne pensais pas réellement que la fin se déroulerait ainsi. Bien sûr, je l'espérais, mais je me doutais bien que c'était peu probable. En fait, un simple pardon m'aurait suffi.

Mais rien de tout ce que je viens de décrire ne s'est produit parce que l'avion de Michael avait déjà décollé quand on s'est précipités, Lars et moi, au comptoir de Continental.

On était arrivés trop tard.

J'étais arrivée trop tard.

Michael est parti. Pour un autre pays, un autre CONTINENT, une autre partie du monde ET je ne le reverrai probablement jamais. Du coup, j'ai fait ce qui me paraissait être la seule chose à faire : m'asseoir par terre et pleurer.

Je ne comprends pas comment cela a pu arriver. Dire qu'il y a une semaine – même pas, cinq jours –, j'étais pleine d'espoir. Je ne savais pas alors ce que le mot douleur signifiait. Du moins, la vraie douleur. C'est comme si le monde autour de moi venait de s'effondrer. Et je suis en partie responsable.

Comment vais-je pouvoir survivre sans lui ? Sérieux.

Oh. Voilà la limousine.

Je vais demander au chauffeur de s'arrêter dans un McDonald's sur le chemin du retour. À mon avis, la seule chose qui pourrait me réconforter, c'est un Big Mac.

Avec du fromage.

Vendredi 10 septembre, 7 heures du soir, à la maison

Quand je suis arrivée à la maison, maman et Mr. G s'apprêtaient à commander à manger chez Suzy, la Chinoise en bas de chez nous, tandis que Rocky, qui avait sorti toutes les casseroles et toutes les poêles des placards de la cuisine, s'amusait à taper dessus (il a hérité ce trait de caractère de son père, dont la batterie occupe une grande place dans le salon).

Dès que maman m'a vue, elle a dit : « Au lit, *tout de suite.* »

Je me suis donc traînée jusqu'à ma chambre et je me suis jetée sur mon lit. Fat Louie, qui dormait là, a été tellement surpris qu'il a sorti les griffes en me voyant.

Mais je m'en fiche. Je crois que je suis atteinte de dépression bipolaire. En tout cas, j'en ai tous les symptômes :

* perte d’intérêt ou de plaisir dans beaucoup d’activités, impossibilité de se réjouir
* humeur morose pratiquement toute la journée
* idées négatives (perception négative de tout ce qui arrive) : vision pessimiste du monde et de soi-même
* fatigue, perte d’énergie, d’élan vital
* envie de rien (sauf peut-être d’un cheeseburger)

« Ton père m’a dit que tu avais quitté le lycée en milieu d’après-midi, a déclaré ma mère après avoir fermé la porte de ma chambre derrière elle afin d’atténuer le bruit que faisait mon frère. Et j’ai cru comprendre, d’après Lars, que tu étais allée à l’aéroport pour essayer de dire au revoir à Michael.

— Oui », ai-je répondu.

J’ai vraiment zéro vie privée. Je ne peux RIEN faire sans que le monde entier soit au courant. Je me demande pourquoi je cherche encore à garder des choses secrètes.

« Eh bien, je trouve que tu as eu raison d’agir ainsi, a continué ma mère. Je suis fière de toi. »

J’ai relevé la tête et j’ai dit :

« Sauf que je l’ai raté. Son avion était déjà parti.

— Ah, a fait ma mère en grimaçant. Eh bien, tu peux toujours l’appeler.

— Non, je ne peux pas, ai-je répliqué.

—Ne sois pas stupide ! Bien sûr que tu peux, a insisté ma mère.

—Maman, je ne peux pas. J'ai embrassé J-P et Michael m'a vue », ai-je avoué.

Ma mère a ouvert de grands yeux.

« Tu as embrassé le petit copain de ta meilleure amie ? a-t-elle dit.

—En fait, Lilly et J-P ont cassé, lui ai-je expliqué. Aujourd'hui. Du coup, c'est son ex-petit copain. Mais sinon oui.

—Et tu l'as fait en présence de Michael ? a-t-elle poursuivi.

—Oui », ai-je répondu.

Finalement, je ne suis pas sûre que manger un Big Mac était une bonne idée.

« Je ne voulais pas, c'est juste que... que c'est arrivé, ai-je précisé.

—Mia ! s'est exclamée ma mère avec un soupir. Qu'est-ce que je vais faire de toi !

—Je ne sais pas, ai-je murmuré, au bord des larmes. J'ai tout gâché. Jamais Michael ne me pardonnera. Il doit probablement être content d'être débarrassé de moi. Qui voudrait d'une petite amie qui ne tourne pas rond.

—Tu ne tournes pas rond depuis que tu sors avec Michael, a fait observer ma mère. Personnellement, je ne trouve pas que ton cas ait empiré. »

Je tiens à préciser qu'elle *cherchait* à me remonter le moral.

« Merci, maman, ai-je alors répondu.

— Écoute, a-t-elle dit. On allait commander à manger chez Suzie avant que tu arrives. Tu veux quelque chose ? »

J'ai réfléchi. Le Big Mac n'était peut-être pas suffisant. Et si j'avais besoin de plus de protéines pour ne pas partir à la dérive ?

« Prends-moi une part de poulet Général Tso. Et du bœuf à l'orange. Des boulettes aussi. Et si tu me commandais des travers de porc ? Vous m'avez toujours dit qu'ils étaient délicieux. »

Au lieu d'être soulagée de voir que, pour une fois, je ne commandais pas une entrée végétarienne que je serais la seule à manger, ma mère m'a observée en fronçant les sourcils.

« Mia, a-t-elle commencé, tu es sûre de... »

Mais l'expression de mon visage a dû lui faire comprendre qu'il était inutile de poursuivre car elle a brusquement haussé les épaules et a dit :

« O.K. Comme tu veux. Au fait, Lilly a téléphoné. Il faut que tu la rappelles. Elle m'a dit de te dire que c'était important.

— Merci », ai-je répondu.

Sur ces paroles, elle a ouvert la porte – BANG ! BANG ! BANG ! faisait mon frère – et elle est partie.

J'ai regardé le plafond pendant un petit moment. Dans sa chambre, chez ses parents, Michael a collé plein d'étoiles phosphorescentes au plafond. Est-ce qu'il fera la même chose dans sa chambre au Japon ?

Je me suis penchée, j'ai attrapé le téléphone et j'ai composé le numéro de Lilly. C'est le Dr Moscovitz qui a décroché.

« Oh, bonsoir, Mia », a-t-elle dit d'une voix un peu froide.

Évidemment, la mère de mon petit copain me détestait maintenant.

Après tout, elle avait raison, non ?

« Dr Moscovitz, ai-je commencé, je suis désolée pour… pour tout. Je suis vraiment la dernière des imbéciles. Je comprends que vous me détestiez.

— Mia, jamais je ne pourrais te détester, a-t-elle répondu plus chaleureusement. Que veux-tu ? Ce sont des choses qui arrivent. J'espère seulement que tout finira par s'arranger entre Lilly et toi.

— Oui », ai-je répondu, en me sentant un tout petit peu mieux.

Finalement, je ne fais peut-être pas une dépression puisque j'arrive à ressentir des choses. Positives, je veux dire.

Sauf que… n'avait-elle pas dit « entre Lilly et toi » ? Elle devait penser « entre Michael et toi ».

« Euh.... Est-ce que Lilly est là ? ai-je demandé. Ma mère m'a dit qu'elle m'avait téléphoné pendant mon absence.

— Bien sûr. Je vais la chercher », a répondu le Dr Moscovitz.

Je l'ai entendue appeler sa fille qui, à peine s'est-elle emparée du combiné, a hurlé :

« TU AS EMBRASSÉ MON PETIT AMI ????? »

J'ai fixé mon téléphone, totalement interloquée.

« Quoi ? ai-je fait.

— Kenny m'a dit qu'il t'avait vue en train d'embrasser J-P à la sortie du cours de chimie ! » a répété Lilly.

Oh, non !

Le Big Mac m'a brusquement pesé sur l'estomac.

« Écoute, Lilly, ai-je commencé. Ce... ce n'est pas du tout ce que croit Kenny.

— Tu es en train de me dire que tu n'as PAS embrassé J-P à la sortie du cours de chimie ? a demandé Lilly.

— N-non, ai-je bégayé. Ce n'est pas ça. Je l'ai embrassé, mais comme on embrasse un copain. Par ailleurs, J-P est, en principe, ton EX-petit ami.

— Comme tu es, en principe, mon EX-meilleure amie, a-t-elle rétorqué.

— Lilly ! Je t'en prie ! me suis-je écriée. Je viens de t'expliquer qu'on s'était embrassés comme des copains, J-P et moi.

— Quel genre de copains s'embrassent SUR LA BOUCHE ? » a demandé Lilly.

Oh, non ! Au secours !

« Lilly, s'il te plaît, ai-je insisté. On a passé une mauvaise journée toutes les deux. Esssayons plutôt...

— Je n'ai pas passé une mauvaise journée, m'a coupée Lilly. Oh, bien sûr, je me suis fait larguer par mon copain, mais j'ai aussi été élue à la présidence du comité des délégués de classe du lycée Albert-Einstein. »

Je me suis aussitôt dressée sur mon séant.

« C'est VRAI ? me suis-je exclamée.

— Oui, a répondu Lilly, visiblement très satisfaite d'elle-même. Quand tu as quitté le bahut sous prétexte que tu avais mal au ventre, la principale Gupta a dit que tu étais disqualifiée.

— Oh, Lilly, ai-je murmuré. Je suis désolée.

— Tu n'as pas besoin d'être désolée, a répliqué Lilly. J'ai demandé à la principale ce qui se passerait si personne ne se présentait et elle m'a répondu que Mrs. Hill prendrait alors la tête du comité des délégués de classe. Tu imagines ce que cela signifie : on vendrait des bougies parfumées toute l'année. Du coup, j'ai voulu savoir si je pouvais me présenter à ta

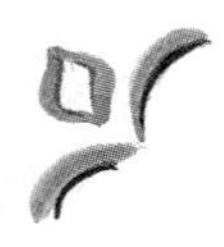

place puisqu'il n'y avait pas d'autre candidat, et la principale m'a dit pourquoi pas. Bref, j'ai prononcé ton discours, celui sur les parades à trouver en cas de catastrophes. Je l'ai évidemment amélioré, mais sans TROP en faire. C'est-à-dire que j'ai évoqué aussi la menace des super-volcans et des astéroïdes. Les gens avaient trop peur pour ne PAS voter pour moi. Les élections ont eu lieu pendant la dernière heure. Et je les ai remportées. À plus de 50 % des voix. Je SAVAIS que les première année réagiraient à la peur, et à la peur seulement. Ils ne connaissent que ça, après tout.

— Ouah ! ai-je fait. C'est génial, Lilly.

— Merci, a-t-elle répondu. En même temps, je ne vois pas pourquoi je te raconte tout ça, puisque tu ne m'as été d'aucune aide. Au fait, je ne t'ai pas nommée vice-présidente. J'ai choisi Yan. Je n'ai pas besoin d'une voleuse d'homme comme vice-présidente. OU comme amie.

— Lilly, je ne t'ai pas volé J-P ! ai-je insisté. Je t'ai dit, je l'ai embrassé uniquement parce que… Oh, et puis après tout, je ne sais pas pourquoi je l'ai embrassé. Mais…

— Tu sais quoi, Mia ? m'a interrompue Lilly. Je n'ai pas envie d'en entendre parler. Pourquoi ne racontes-tu pas tout ça à quelqu'un que ça intéresse ? Et qui t'aime. Comme J-P, par exemple.

— J-P ne m'aime pas, Lilly ! ai-je riposté. Tu le sais très bien.

— Tu crois ? a fait Lilly, avec un rire diabolique. Je dois alors savoir quelque chose que tu ne sais pas.

— De *quoi* tu parles ? ai-je demandé. Voyons, Lilly, c'est stupide. On est amies depuis trop longtemps pour qu'un GARÇON sème la zizanie entre nous.

— Ah bon ? s'est exclamée Lilly. Personnellement, je trouve qu'on est amies depuis assez longtemps comme ça. Au revoir, PDG. »

J'ai entendu un clic. Lilly m'avait raccroché au nez.

Je n'en revenais pas. *Elle m'avait raccroché au nez.*

Je suis restée assise, interdite. En vérité, je n'arrivais pas à croire que tout ça soit arrivé : perdre mon petit copain et ma meilleure amie dans la même semaine.

Ce n'était pas possible !

Je tenais toujours le téléphone à la main, quand il a sonné à nouveau. Persuadée que c'était Lilly qui me rappelait pour s'excuser, j'ai tout de suite décroché.

« Écoute, Lilly, je suis désolée, ai-je dit. Qu'est-ce que je peux faire pour que tu me pardonnes ? »

Mais ce n'était pas Lilly. Une voix grave m'a répondu :

« Mia ? »

Mon cœur a aussitôt fait un bond. C'était Michael. MICHAEL M'APPELAIT ! Comment avait-il fait puisqu'il était censé être dans l'avion ? Mais pourquoi je me posais la question ? Il m'appelait, c'était le principal !

« Oui ? » ai-je lancé en sentant mes muscles se détendre sous le coup du soulagement.

C'était MICHAEL ! J'ai failli éclater en sanglots, mais de joie cette fois.

« C'est moi, J-P », a répondu la voix grave.

Mes muscles se sont immédiatement contractés à nouveau. Et mon cœur s'est serré.

« Oh », ai-je fait, masquant du mieux possible ma déception.

Une princesse doit toujours donner à ceux qui l'appellent l'impression qu'elle n'attendait que leur coup de fil. Même si c'est faux.

« Salut, ai-je ajouté.

— J'imagine que tu as déjà parlé à Lilly, a dit J-P.

— Hum hum », ai-je répondu.

Comment avais-je pu penser que c'était Michael ? Michael était dans l'avion, en partance pour le bout du monde, loin de moi. Et pourquoi se serait-il donné la peine de me téléphoner après ce que j'avais fait ?

« Et ça ne s'est pas mieux passé pour toi que moi, n'est-ce pas ? a continué J-P.

— Hum, hum », ai-je répété.

J'étais totalement engourdie. Était-ce un autre symptôme de la dépression ? Un engourdissement PHYSIQUE en plus de celui des émotions ?

« Elle m'en veut à mort, ai-je repris. Et je dois avouer que je la comprends. Je ne sais pas ce qui m'a pris quand on est sortis du cours de chimie, J-P. Je suis désolée. »

J-P a éclaté de rire.

« Tu n'as pas à t'excuser auprès de moi, Mia, a-t-il dit. J'ai trouvé ça très agréable. »

C'était adorable de sa part de faire preuve de galanterie, mais d'une certaine façon, ça ne rendait la situation que pire.

« Je ne suis qu'une imbécile, ai-je déclaré, pitoyablement.

— Je ne suis pas d'accord, a contesté J-P. Je pense plutôt que tu as eu une mauvaise semaine. C'est pour ça d'ailleurs que je t'appelle. Je suis sûr que tu as besoin de t'amuser, et je crois que j'ai ce qu'il te faut.

— Je ne sais pas, J-P, ai-je répondu, d'une voix lasse. Je me demande si je ne fais pas une dépression.

— Je ne vois pas du tout de quoi tu parles, a répliqué J-P. En revanche, ce que je vois dans mes mains, ce sont deux billets pour *La Belle et la Bête*, ce soir à Broadway. Ça te dit d'y aller avec moi ? »

J'ai sursauté. J-P avait deux billets pour ma comédie musicale préférée ?

« Mais co-comment as-tu…, ai-je bégayé.

— Facile, a répondu J-P. Mon père est producteur, tu te souviens ? Alors, ça te tente ? Le spectacle commence dans une heure. »

Comment J-P avait-il deviné que c'était EXACTEMENT ce dont j'avais besoin pour oublier que je n'étais qu'une pauvre fille et que j'avais tout gâché avec les deux êtres que j'aimais le plus au monde (en dehors de Fat Louie et de Rocky, bien sûr) ?

« Un peu que ça me tente ! me suis-je écriée.

— Parfait, a déclaré J-P. Je te retrouve devant le théâtre dans quarante-cinq minutes. Au fait, Mia…

— Oui ? ai-je dit.

— Juste ce soir, ne parlons pas des deux Moscovitz qu'on connaît, d'accord ?

— D'accord, ai-je répondu en souriant pour la première fois, me semble-t-il, de la journée. À tout à l'heure ! »

Et j'ai raccroché. Puis, avant de me changer et de mettre une tenue plus adéquate pour le théâtre, j'ai allumé mon ordinateur. J'ai consulté mes mails. Je n'avais aucun nouveau message. Mais je n'en ai pas fait tout un drame. De toute façon, je ne m'attendais pas à en recevoir puisque je ne le méritais pas. Avant d'éteindre mon ordinateur, j'ai toutefois relu le der-

nier mail de Michael – celui auquel je n'avais pas répondu.

Cette fois, j'ai appuyé sur la touche *Répondre*.

J'ai réfléchi pendant un moment, puis j'ai écrit :

Michael, je suis désolée

et j'ai cliqué sur *Envoyer*.

Fin

Tu adores les aventures de Mia, retrouve-la vite dans le tome I « Journal d'une Princesse »,
le tome II « Premiers pas d'une Princesse »,
le tome III « Une Princesse amoureuse »,
le tome IV « Une Princesse dans son palais »,
le tome V « L'anniversaire d'une Princesse »,
le tome VI « Une Princesse rebelle et romantique »,
le tome VII « La fête d'une princesse ».

Composition & Mise en page MCP – 45774 Saran

Imprimé en France par HÉRISSEY - 27000 Évreux
Dépôt légal imprimeur : 104248 - éditeur n° 82137
20.16.1248-2/01 - ISBN : 978-2-01-201248-6

Loi n° 49-956 du 16 juillet 1949 sur les publications destinées à la jeunesse
Dépôt légal : mars 2007